最励志 校园小说

原来我这么棒

■李惠镇/作 ■明水晶／绘

湖北长江出版集团
湖北少年儿童出版社
HUBEI CHILDREN'S PRESS

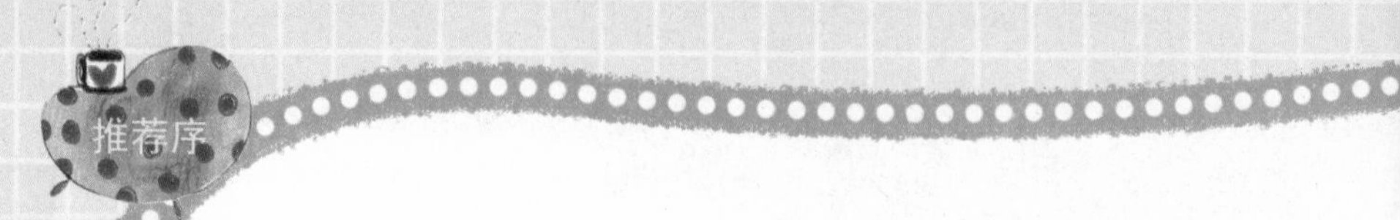

如何拥有真正的自信心

自信的根源在于自己。和别人相比之余而来的自信是一种优越感,说到底是一种自卑感。这使得双方不但无法彼此尊重,更会不自觉地互相伤害。真正的自信,是从肯定自己的优点开始的。

故事的主角小瑜是一个不了解自己优点的小学生,个性内向,总是习惯畏缩地躲在别人背后。不过,她的优点是善于倾听别人说话。一次,小瑜去参加了一个研习营，虽然那是被妈妈半强迫着去参加的活动，但是她从中体悟到自己的优点，因而找到了自信。我们深信，不久的将来，小瑜一定能够实现自己的梦想。希望各位小朋友能够通过这个故事了解到什么是真正的自信，而且也能试着找到自己的优点。

黄城洲 博士

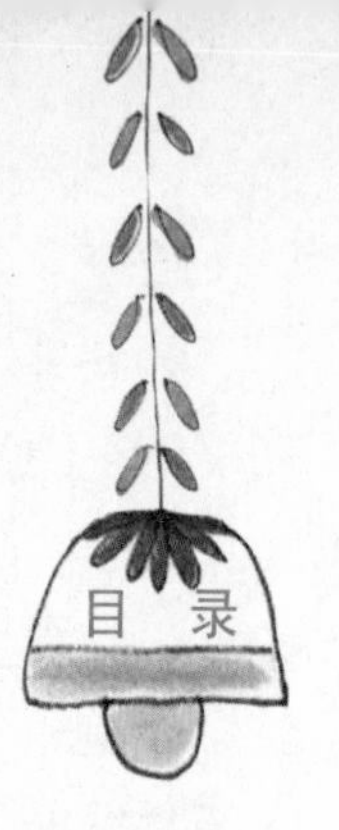

推荐序　如何拥有真正的自信心 _4

PART 1　一日班长 _10

我不要去研习营！ _28

PART 2　选上副队长？ _46

妈妈的忧心 _62

你觉得我怎么样？ _85

PART 3　牡丹花与木棉花 _ 106

闹鬼风波 _ 122

任务:找寻出口 _ 138

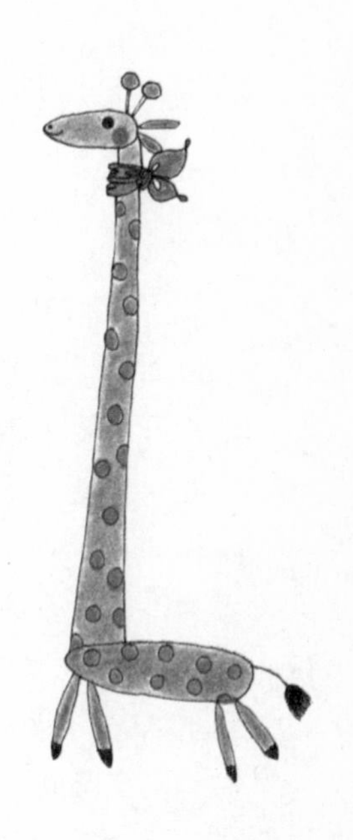

PART 4　每个人都是主角！ _ 164

特别的结业证书 _ 177

作者序　任何事情都难不倒的超强信念 _ 190

给缺乏自信的你：

在班上同学面前表达自己想法的时候，
当大家的眼神集中在她身上的时候，
总是一贯羞红了脸欲言又止的高小瑜。
生怕跟老师四目接触而急忙别过脸去，
总是远远躲开的高小瑜。
小瑜，你不妨试着养成习惯多说“我办得到”，
尽量减少“我不行”、“我不要”这种自我否定的话。
你一定很好奇这么做会带来什么样的改变吧？
来，不如现在就开始吧！

参加研习营之前，
小瑜的自信指数 8%

小瑜完全没有信心，总觉得自己一定会像善谊一样出糗，然后成为班上同学的笑柄。

今天是期末考最后一天。

小瑜知道自己最后一节的美术课考得很差，心情简直是跌到谷底，所以，等老师交代完毕需要注意的事项之后，一脸气嘟嘟地独自离开了教室。

“小瑜！高小瑜！”

小瑜大踏步地走过操场的时候，好朋友善谊从后面急忙追上来。

“不是说好了今天要去吃关东煮的吗，你忘啦？”

善谊气喘吁吁地一边说着，一边拉住小瑜的手。

“我没忘记。”小瑜摇一摇头说道。

“那你是怎么了啊？干吗自己一个人溜掉啊？”

"今天没心情去吃东西。"

刚才答错的美术科考题，还在小瑜的脑海里面转来转去，这个时候哪来的心情去吃什么关东煮？即使是最爱不释手的台地点心牌关东煮，像今天这种日子就算真的吃了，也只会觉得食不甘味。

"怎么啦，你考坏了是不是？再不然是有别的事情惹到你了吗？不要闷在心里啦，快告诉我这个大姐大，让我来替你分担。"

眼见善谊在想尽办法要让自己开心，小瑜的心里也着实很感动。可是现在的心情凌乱烦躁得很，小瑜根本没有那个心思去领受别人的好意。这种时刻与其跟同学去吃关东煮，七嘴八舌地聊天，不如早点回家去，带小狗Cookie 到外面散步来得轻松一点。因为 Cookie 不会一直问小瑜发生了什么事，也不可能一再逼她把事情说出来。还有，带狗出去散步，可以暂时避开想也知道一定会逼问考试结果的妈妈，应该没有其他的办法能比这个更好了。

"我先回家了，你自己多吃一点吧！"

小瑜也不等善谊说话，跑着横越操场，往校门直奔而去。

“考得怎么样啊？”

一看见拉长了脸满心不悦进门的小瑜，妈妈迫不及待地问考试结果。

“妈咪，我带Cookie去外面散步！”

小瑜心虚地把书包随便扔在地上，带着Cookie就往外面冲出去。

“我问你考试考得怎么样啊？”

妈妈往门外探头，拉长了脖子大声喊着。

“不知道啦！那些很奇怪的考题害我没考好啦！”

小瑜随口敷衍了几句，正好电梯门开了，便逃命似的赶紧躲进电梯里。

“Cookie！我们去外面散步吧！我们一起去痛快地跑一圈！”

小瑜提高嗓门刻意大声地对Cookie说话。每当她心情不大好的时候，像这样带着Cookie去散步，是最棒的抒发情绪的方式。小瑜很喜欢带着Cookie跑到上气不接下气地绕完公园一圈之后，那种整个人变得神清气爽的感觉。

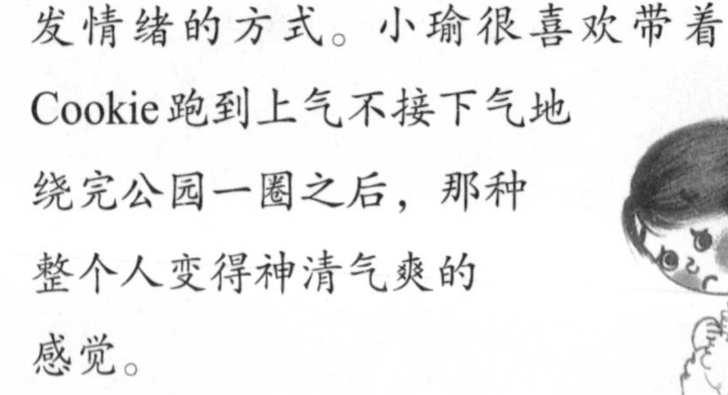

总习惯在畅快地跑一通之后摇着尾巴在小瑜的脚边磨蹭撒娇的Cookie，比任何人都能够抚慰小瑜的心情。

回到自家的一楼门口，小瑜的心情一下子又掉进万丈深渊。天空开始下起绵密的细雨，小瑜站在门口本来想等雨停再去外面绕一绕，可是见雨势似乎不大可能转小，便只好带着Cookie进屋去。

“Cookie，难得姐姐想带你出去散步久一点，真可惜，对不对？”

Cookie好像能够体会小瑜的忧郁心情似的，汪汪地叫了几声。

不过，小瑜也马上被妈妈逮个正着，被逼着一五一十地报告有关今天详细的考试情形。当然，也包括不甚理想的美术考试在内。

“我的女儿啊！你这也太离谱了吧？再怎么说，你自己的妈妈专长是美术，工作就是替人家画画，你怎么能这么神乎其技地毁了自己的美术考试呢？”

妈妈一手按在额头上直叹气。

“都怪妈咪今天早上煮海带汤给我喝，不然……”

小瑜喃喃自语地急着为自己辩护。

“你说什么？”

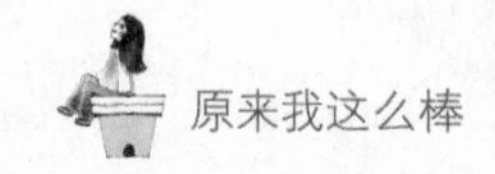

“没有，我哪有说什么啊？啊，不管怎么样，好不容易考试都结束了耶，现在起要做什么呢？妈妈，接下来我该做什么好呢？”

小瑜赶快故意岔开话题。

“唉，算了啦！为了已经过去的事情耿耿于怀，又有什么用呢？下次还有机会的嘛！玩吧，去尽情地玩吧！随便你去做自己想做的事情好了。”妈妈用大发善心的语气说道。

“呀呼！Cookie，去拿你的球球过来，球球！”

妈妈的话才刚说完，小瑜已经把Cookie的玩具球抛到客厅的另一头，叫Cookie去把球捡回来。Cookie一副也早已经等不及的样子，兴奋地咬着球来回跑了好几趟。可是，才玩了一会儿，小瑜就开始觉得跟Cookie玩丢球有一点乏味了。

“妈妈，等一下我可以做什么啊？”

小瑜把手按在妈妈工作的桌子上问道。

“不是要跟Cookie玩吗？”

“不玩了。”

“那就去做你想做的事情啊！”

妈妈忙着为几天前还完全看不出是什么的一幅画作

收尾，她背对着小瑜看都不看一眼地回话。

"可以做什么啊？妈妈，我可以做什么啊？"

妈妈这才转过头来看着小瑜，小瑜一脸无聊至极的表情天真地眨眼睛。妈妈的视线越过表情既无聊又无辜的小瑜，不经意地落在桌历上面，突然想到什么似的大叫一声。

"对了！你后天轮到要当一日班长了，对不对？"

"对啊！"

小瑜很快回想了一下前几天有哪些同学当过一日班长。前天是座号比小瑜前面两个号码的诚俊，明天该轮到惠津，后天就轮到小瑜了。

"啊！真的轮到我了。我真的很不想当班长耶！"

最近小瑜班上缺了一个班长，因为两个月前，原本当班长的智惠突然转学离开了。其实班上可以重新选一位班长，或是由副班长接任班长的位置，但是老师却提议大家轮流每个人当一天的班长。所有的人对这个提议都是举双手赞成，因为班上有很多人到现在从来没当过班长，甚至于有不少人心里想着绝不能错过这样的机会，因为连做梦都不敢想象能当上班长，大家都沉浸在满心期待的气氛里。

不过，这件事情对小瑜而言可不一样。在班上所有同学的面前，自己一个人站起来大声喊立正、稍息的口令，光是想象就叫人头皮发麻。对小瑜而言，别人的注目会带给她很大的压力。况且，一想到那些人的视线可能是在监督小瑜做得好不好，就会让她更加觉得不好意思在众人面前突显自己。

小瑜觉得紧张的时候，很容易一不小心就出糗，肯定就会变成大家的笑柄，与其发生这种事情，不如干脆什么都不要做来得安全一点。

"真受不了，智惠她干吗要突然转学，把事情搞成这样啦！要不然，一开始就不该当什么班长，她根本就不应该这样转学的嘛！"

小瑜早已忘了智惠转学那天，自己因为舍不得而号啕大哭，现在却只顾着埋怨智惠突然转学离开。

"可是托她的福，才有机会过一下当班长的瘾，不是吗？虽然只有一天而已。"

"既然这么喜欢，那妈妈你替我去当班长好了！"

"这个主意不错耶！"

妈妈一脸揶揄的表情，好像这句话是故意说出来气小瑜的。

小瑜在期末考之前就已经很害怕，担心自己当班长时会像好朋友善谊一样状况百出。

打从出生以来第一次当班长的善谊，因为太紧张了，从第一堂课开始就失误连连。

原本应该是要说“立正”、“敬礼”，她却慌张地冲口而出“稍息”、“立正”，惹得全班哄堂大笑，而且“稍息”、“立正”就成了班上同学一整天挂在嘴边的笑话。有些同学还会趁善谊走过的时候，故意走到她旁边大喊“稍息”、“立正”，弄得善谊整天哭，眼睛都哭得红肿了。

没有人能够保证小瑜就不会出现那样的失误。万一自己也沦落到那样的窘境，小瑜肯定是羞愧到想去跳楼算了。结果，终究还是躲不过轮到小瑜当班长的命运。

“唉，真希望永远都不要轮到我，那该有多好啊！干脆装病请假不要到学校去好了？”

（与其勉强当班长，不如想个办法躲一下。）

“我真的不想当班长啦！人家又没有说要当！”

小瑜紧张极了，气急败坏地涨红了脸。

妈妈用不放心的表情看着小瑜说：

“你怎么对自己这么没有自信啊？这样可不行，妈妈现在陪你练习一次。”

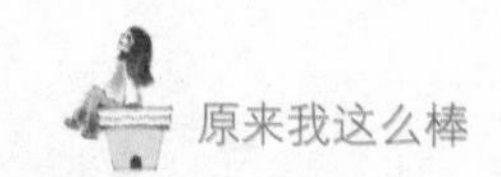

妈妈停下手上的画笔，走出工作室来到客厅里。妈妈将Cookie抱在身旁，在沙发上坐定后，煞有介事地对小瑜说：

“把我们两个当做是你班上的同学，电视就充当你们的班主任老师吧！来，我们先从敬礼开始。”

Cookie也汪汪地叫了几声，像是在模仿妈妈催促小瑜似的。

小瑜从沙发上站起来，对着电视机大声地喊口令。

“立正。敬礼。”

小瑜的声音像蚊子一样，小到不能再小。小瑜一脸没有信心的表情，回头看看坐在身后的妈妈，妈妈的表情看起来五味杂陈，好像在忍耐不笑场，也好像很失望的样子。

“看吧，我就说了办不到嘛！”

“多一点自信，一字、一句，咬字清楚一些。大声一点再来一次！”

小瑜只好清了清喉咙再重新来过。

“立！正！敬！礼！这样可以吗？”

这次小瑜拼上全身的力气，吼叫似的大喊口令，受到惊吓的Cookie汪汪叫个不停，妈妈也终于忍不住地哈哈大笑。

“我就知道，我就知道一定会这样。到时候，班上的同学也一定会像妈妈这样嘲笑我。我惨了啦！”

小瑜涨红了脸，急得直跺脚。

“妈妈不该笑你的，对不起。你真的太紧张了啦，学妈妈再讲一遍。”

妈妈立刻收起刚才的笑声，中气十足地高喊“立正”、“敬礼”，好像当班长的经验很丰富的学生一样，示范起来架势十足。

“怎么样，不难吧？”

妈妈端详着小瑜的神情，小瑜默默地点一点头。

“可是，我不是妈妈你啊！而且，我也不是真正的班长，我……还是不行啦！”

小瑜的眼神近乎哀求地望着妈妈，妈妈给了小瑜一个温柔的拥抱。

“没有什么事情是办不到的，只要努力地练习一定可以。别气馁嘛，我们一起再练习一次。来！”

然而，小瑜完全没有信心。总觉得自己一定会像善谊一样的出糗，然后成为班上同学的笑柄。

（我一定会出糗的，一定会！）

小瑜不自觉重重地叹了一口气。

oriser. Se contente-t-il d'y ass
t-il des conseils ? Cherche-t-il à
l'intermédiaire de ses anciens co
deux hommes s'affrontent-ils sur deux
? C'est en ce mom
de Washington, où,
s que « 41 » et « 43 »
infréquentable. Et,
t installé dan
l'ambiguïté de sa rela-
Walker Bush.
« Poppy ».
aborateurs légués
« Du psych

"小瑜你回来啦？"

班上出了名胆小的惠津顺利完成班长任务的这一天，家里来了一位妈妈的朋友——芳荷的妈妈。

"小瑜啊，听说明天轮到你当班长啊？"

小瑜顿时惊慌失色。

"恭喜你啦！期末之前还能过一下当班长的瘾呢！看你的啰，加油！"

芳荷的妈妈刻意的鼓励，羞得小瑜像火烧眉毛似的急忙躲进自己的房间里。

（都怪妈妈没事跟人家乱说，害我丢脸死了啦！）

妈妈朋友的女儿芳荷，是个每年必定荣登班长宝座的高材生。虽然两人就读不同的学校，多亏妈妈偶尔会实况转播跟其他妈妈之间的八卦消息，所以小瑜也总是能够掌握芳荷的最新消息。除了在班上成绩名列前茅，在同学之间人缘也很不错，算是一个无可挑剔的聪明孩子。自小时候念同一所幼儿园开始，芳荷一直是大人们拿来和小瑜相比较的对象。

"听说芳荷这次也考了一百分，看看你这是什么分数啊？听说芳荷的英文很棒，你要不要也去上补习班？"妈妈成天芳荷长、芳荷短的挂在嘴边，小瑜听得简直耳朵都要长茧了。

在大家的心目中是这样的一个天之骄女，若是知道小瑜不过是一日班长，还为此而紧张得要命，不知道她会多用力地嘲笑自己？想到这里，小瑜不禁脸颊又开始发烫。对于妈妈的多事，她知道再多的埋怨也无济于事。

明天要是出了什么差错，在大家面前出尽洋相的话，那要怎么办啊？

（唉，明天啊请你不要来！不要来啊！）

这天晚上，小瑜有多么希望明天就是世界末日。

小瑜紧张得猛吞口水。

"立正、敬礼。"

不知怎么的，小瑜的嘴巴就是张不开，应该要大声喊出来的口令却在嘴巴里打转，怎么样都说不出口。同学们看着小瑜窘迫的模样，都在捧腹大笑，有几个同学甚至还用手对她指指点点。

他们干吗要笑？小瑜羞红了脸转头看看四周，随即跟死党善谊四目相交。善谊忽然拿出一面镜子，然后扑哧一声笑了出来。啊！镜子里小瑜的嘴巴上了拉链，紧紧地密合着。根本没有办法说话！惊慌失措的小瑜，只能双手遮掩住脸，伤心地哭了起来。

“小瑜，小瑜啊……”

耳边传来妈妈飘忽的叫声。小瑜这才缓缓放下掩住脸的手，小心翼翼地张开眼睛。

“该起床啰，上学别迟到了！”

“什么嘛，原来是做梦啊！”

小瑜这才松了一口气。万一刚才那个画面是真的？呃，光是想象就已经很可怕了。

“高班长！今天应该没问题吧？”

小瑜来到餐桌前坐定，爸爸满面笑容地看看小瑜。

“爸爸，今天让我向学校请假好不好？我突然觉得头很痛，肚子好像也怪怪的。”

小瑜假装不舒服地说道。

“今天是我女儿第一次当班长的日子，当然不能缺席啊！这些现象全都是因为你太紧张的关系啦！别紧张，放轻松一点。我们家小瑜绝对不会有问题的。你可是我的女儿耶！”

爸爸悠闲地吃着早餐，嘴角带着微微的笑意，眼睛望着远方，似乎是正在回想从来不曾错失班长宝座的时代。

“你有我这个爸爸的真传，肯定会有出色的表现，没问题的啦！”

小瑜觉得爸爸今天的期待给她很大的压力。

终于上课铃声无情地响起，走进教室的老师随即环顾四周。

“好，今天轮到谁当班长了？”

“高小瑜！”

全班异口同声地大喊小瑜的名字。

小瑜畏缩地从椅子上站起来，两条腿抖得厉害。小瑜由于过度的紧张，根本没办法开口说话。

“那么，可以开始了吗？”

听见老师的话，小瑜吃力地试着喊出口令。

“立……”

“声音太小了。再大声一点！”

经过老师的指正，小瑜试着让呼吸先平顺下来，再喊了一次口令。

"立……zh……eng……"

这次小瑜的口令变成了分岔的声音,全班同学听了忍不住压低声音窃笑不已。小瑜羞赧得当场从耳朵红到脖子。

"安静！没有关系,继续啊小瑜。"

同学们硬是忍住不笑，低着头身体却仍然不时地抖动。小瑜很想马上冲出教室去，但是两条腿却跟心里的想法背道而驰,定在地上动弹不得。

老师又一次催促小瑜赶快喊口令，小瑜拼命忍住就要掉下来的眼泪,勉强喊完最后一个口令。

"敬礼——"

小瑜畏缩的声音,小到快要听不见。

全班同学终于忍不住爆发压抑的笑声，一边笑一边向老师敬礼。

小瑜发觉两条腿开始发软，无力地颓坐椅子上，善谊体贴地拍一拍小瑜的肩膀给予安慰。

"下一堂课千万不要太紧张哦,知道吗？"

（我就知道,我就知

道我一定会搞砸！)

小瑜也不知道为什么会觉得生气，可就是一直莫名其妙地想要生气。

“我回来了。”

“你回来啦？情况如何？”

小瑜还来不及回答，眼泪就扑簌簌地掉下来。

“我说了我办不到嘛！”

“没有关系，我的好女儿，没有关系啦！辛苦你了，你做得很好。”

妈妈紧紧地抱住小瑜，轻轻地拍一拍她的肩膀。

小瑜尽情地哭泣，宣泄心里的委屈。大哭一场之后，她才稍稍觉得心情轻松了一些。

妈妈的爱心鼓励

勇敢再试一次！

大人们很习惯针对某一件事情的结果来决定要不要称赞我们。可是，我们想要的是自己每一天努力的过程和付出可以得到赞美，而不是因为得到了什么样的结果。

每一件事情若是能够一次就成功，当然是很理想的，但是大部分的时候，事情很难像心里所希望的那样。这个时候，大人们不妨给予温柔的鼓励，告诉我们勇敢再试一次。如此，我们的心就能变得比以前更坚强，会更想要好好地全力以赴。

请告诉我们：勇敢再试一次！这句引导自我肯定的话，请不要忘了哟！

听说古时候才没有这种东西，总之大人们就是爱弄出这些奇奇怪怪的活动，来残害我们这些国家幼苗，真受不了。

“呼！”

每一回看一次月历上面的日期，小瑜就不自觉地叹气。下个礼拜的星期一画了一个大大的圆圈，像是故意要提醒可怕的日子就要来了。日期被圈起来的那一天，是小瑜被安排去江原道参加某个小学生研习营的日子。只要是夏令营、研习营之类的活动，小瑜对这些事情一点兴趣都没有。不，其实根本就不想考虑这些事情。

这次会毫无预警地被拉去参加研习营，都是因为上次被强迫当了班长又凄惨收场的关系。更讨厌的是，自己的好朋友没有任何人去参加。而且，居然要待一个礼拜！只有自己一个人！

妈妈到底是从什么地方收集来这些活动信息的？小瑜不得不打从心底佩服妈妈的本事。

“妈妈，我可不可以不去啊？”

“不可以！你知道妈妈是费了多大的力气，辛苦地帮你争取到这个机会的吗？我跟他们千拜托万拜托的，好不容易可以让你参加的耶！”

“哼，我不吃饭了！”

“随便你！”

“我要躲在房间里不出来哦！”

“不管怎么样，妈妈的决定是不会改变的！”

碰到这种情形，有时候妈妈比小瑜还要固执。

“既然小瑜这么不想去，要不要再重新考虑一下？”

在一旁观望妈妈和小瑜的意气之争，爸爸小声地发表意见，试图当起和事佬。

“老公，你应该不会希望我们家小瑜永远都是一个像现在这样没有自信的人吧？”

妈妈的一句话，让爸爸再也不敢多说什么。小瑜紧紧地挨坐爸爸的身旁，摆出全世界最无辜表情望着爸爸。

（爸爸，你真的忍心让唯一的女儿去受苦吗？）

有些不知所措的爸爸，先是干咳了一下，然后又问：

“回来之后，孩子真的会不一样吗？”

“那当然！其他的妈妈都很满意呢！她们说即使只是一点点，重要的是看得到孩子改变的契机。听说去参加过的孩子们，个个都变得比从前有自信了！我相信这对小瑜是个很好的机会。”妈妈兴高采烈地说道，好像小瑜已经去了研习营回来。

“可是，孩子这么不喜欢……”

爸爸有些畏缩地支吾其词。

“老公，你确定要继续争论下去吗？”

“好好，我只是说说而已。”

“那就这么说定了哟！反正就是非去不可，懂了吗，高小瑜？”

好像妈妈才是我们家里的老大，爸爸每次都是这样说不过妈妈。小瑜一脸失望的表情回到自己的房间里。

“怎么不吃啊？”

善谊拍了一下小瑜的肩膀。

“啊？哦……”

小瑜用叉子叉了一块关东煮送进嘴里，漫不经心地咀嚼起来。

以前觉得超美味的关东煮，今天吃起来却淡然无味。

“怎么了啦，你有心事啊？”

“都是研习营害的……我快疯掉了啦！你陪我一起去好不好？”

“我也很想啊，可是他们说已经额满了嘛！不如这样，你跟我一起去生活礼节营好了？”

“我是真的很想跟你一起去啦，可是你叫我怎么说服我妈妈啊？真的快烦死了！没有半个认识的同学，我居然要自己一个人在那里待一个礼拜！唉！光用想的就很可怕了。”

小瑜烦躁得使劲摇头。

“不过，你比我幸运多了！我参加的可是海军部队的终极战斗营耶！”

恩珠整个五官都皱在一起，却不忘夹起关东煮。

“趁这次机会，希望你减肥成功。”善谊笑着说道。

“你是在取笑我吗？”

恩珠是班上体型最胖的女生。

“你们能想象海军部

队有多可怕吗？听说那里很累很辛苦的！”

尽管害怕，恩珠还是把一颗鱼丸吃进嘴里，满足地咀嚼起来。

“到底是谁发明了夏令营这种东西啊？听说古时候才没有这种东西。总之，大人们就是爱弄出这些奇奇怪怪的活动来残害我们这些国家幼苗，真受不了。”

“对啊！”

善谊和小瑜都百分之一百同意恩珠的话。

“总之，我们的妈妈也真是的，当我们是洋娃娃啊？老爱把我们到处送来送去。”

恩珠更是输人不输阵地抱怨几句。

“不管怎么样你们都比我好啦，我可是只能自己一个人去参加没半个熟人的研习营耶！我一定挨不过一天就会想要回家的！每到晚上我可能会哭累了才睡着，一定会被其他不认识的孩子欺负。”

想着想着，小瑜差一点没当场掉下泪来。

“喂喂，你当自己是可怜的孤儿小甜甜啊？又寂寞又悲伤哦？”

“谁知道啊？说不定你会在研习营遇到很帅的男生！”

善谊跟恩珠对望了一下，露出意味深长的笑容。

“哎哟,真的快烦死人了啦！”

看见小瑜抱着头看起来很苦恼的样子，善谊拍一拍她的肩膀给予安慰。

“无论如何反正是躲不了了，你就别想太多。其实，我听说那个研习营好像还蛮好玩的。”

“怎么可能好玩嘛？我才不稀罕去参加。”

“喂，打起精神来！为了鼓励你，今天这一摊就算我请客好了！”善谊说。

“哇哈哈,你说真的？老板,我再要一份关东煮！”

恩珠一副机不可失的样子,三步并作两步,端着盘子冲到老板娘旁边加食。

“高小瑜！你准备好要出门了吗？”

听到爸爸的声音，小瑜嘟着嘴不大高兴。对于爸爸没有积极地阻止妈妈送自己去研习营这件事，小瑜心里还是犯嘀咕的。

“好了！十一点就要出发了。老公,跟我们家女儿道别吧！未来会有整整一个礼拜都见不到面呢！”

整整一个礼拜。不知道是不是很快会结束？小瑜又一次重重地叹了一口气。

“我最心爱的女儿！打起精神来，加油！你知道爸爸是支持你的吧？”

（才怪?！根本就不懂我这个女儿的心里有多烦恼！）

就在临出门要去上班的时候，爸爸再一次给小瑜加油打气。

（哎，我真的很不想去！我不行啦！）

小瑜本来还想再试探一下，最后还是决定算了。

小瑜不情不愿地被载到一栋大厦前下车。那里有一部大型巴士已经在等着载人。

“小瑜很准时耶！”

说话的人是芳荷的妈妈，她的女儿芳荷就站在旁边。

小瑜表情惊愕地转身看看妈妈，妈妈赶紧装出不知情的样子，急忙跟向她问候的芳荷微笑点头。

“阿姨好！嗨！”

芳荷主动向她们两人寒暄。

“早安。”

小瑜马上退后一步躲到妈妈背后。

“芳荷啊，我们家小瑜就拜托你多照顾了。可以吗？”

“阿姨您放心好了。这七天我们一定会好好相处的。”

关于要离开家里一个礼拜的事，芳荷似乎一点都不害怕，看起来很开心。不，好像反而迫不及待要出发了。这在小瑜的眼里，实在觉得不可思议。

“芳荷啊，你真是个让人放心的孩子。我们家小瑜啊，要是能有芳荷一半的自信那就好啰！”

妈妈望着芳荷的眼神充满羡慕，小瑜实在看不惯妈妈这个样子。老爱说不要跟别人做比较，可是妈妈自己又总是一提到芳荷，话匣子就停不了，口沫横飞地拿小瑜比个没完。每一次当爸爸对这件事情提出看法，妈妈总是也有她自己坚持的理由。

“这就是看书跟现实世界的差别。脑袋知道这样做是不对的，可是心思就已经在比较了。我当然知道这样不好，可是我不过是个平凡人，很难免的嘛！”

也不知道妈妈到底有没有想过，这样做会让小瑜更容易心灵受挫，可她却一副自己也很无能为力的样子。

妈妈跟芳荷的妈妈聊天聊得兴高采烈的时候，芳荷走过来拍拍小瑜的肩膀。

“我们先上车占位子好了。”

“啊？嗯。”

跟在已经坐上巴士找位子的芳荷后面，小瑜也急忙跳上巴士。

芳荷来到差不多是中间位子的座位等着小瑜。

“你想坐窗边吗？”

“可以吗？”

“是啊，何况你妈妈拜托我要好好照顾你呢！”

“谢谢你。”

小瑜先是把背包放在窗边的座位上，然后下车跟妈妈道再见。

“去多认识一些新朋友，玩得开心一点。没问题吧？”妈妈最后如此叮咛。

小瑜勉强点了点头。

巴士准时在三十分钟之后出发。妈妈和芳荷的妈妈、还有其他孩子的妈妈们，大家都站在车窗外挥手。这些妈妈们的脸上泛着忧心和期待参半的表情。

巴士很快驶离了热闹的城市。大约过了一个小时，车窗外开始掠过一亩亩因为结冰而光秃秃的田地。接着，巴士开进蜿蜒崎岖的山路。

“我们现在该不会是被集体绑票了吧？”

有人调皮地开玩笑说道。

“天哪！这里根本是鸟不生蛋的乡下耶！”

当巴士终于抵达目的地停了下来，孩子们开始一个个提着行李下车。

“看不到超市,也没有网咖,什么乐趣都没有了！”

“这里的洗手间要是跟我乡下的外婆家一样是粪坑的话,怎么办？”

“那种地方不是会有一只鬼手伸上来抓人吗？啊！我不要啦！”

小瑜心里同样感觉到大失所望。

（这种地方能好到哪里去？这下子肯定要吃尽苦头。）

由废弃的学校改建的研习营，四周围只住了几户人家。视线所及，除了零星几个木板搭建的摇摇欲坠的棚子之外，这个乡下地方荒凉得什么都没有。位处村落正中间的研习营，操场四周几乎完全被一座座的高山所包围,找不到出口的冷风,一阵阵地吹过荒僻的操场。写着“欢迎”字样的大型布幕在飘动，被风吹得发出巨大的声响,让小瑜感到更加透不过气来。

“哇,竟然比我们学校好上几百倍耶！”

“对啊！简直是豪宅嘛！”

孩子们一走进研习营建筑里,便连连发出惊叹声。不同于近乎是废墟的外观，建筑内部却是十分的时髦且高级。跟这里相比，小瑜他们的学校一点也比不上。见到室内的装潢至少过得去，小瑜总算勉强能接受了。

“好了，请各位同学依照手册上的简介，先把行李带到二楼去放好，再到楼下来集合！”

老师开始把活动简介发给每一个人。

小瑜的名字出现在 208 号房下面。小瑜往下浏览跟自己分配到同一间房间的其他孩子的名字。柳娟娟，张允婷，郑芳荷……啊？郑芳荷？

“我们同住一间房耶！”

芳荷主动走过来，态度很是热络。

“真是太好了。幸好我们分配到同一个房间，要不然我就很难替你妈妈好好照顾你了。”

芳荷先一步走上楼。

（好好照顾我？什么意思啊？）

小瑜一头雾水不知道那是指什么事，但是并不想真的问走在前面的芳荷。

孩子们动作敏捷地把行李留在房间里，然后下楼到礼堂集合。

先是负责研习营活动的几位老师致上欢迎词,然后才是真正的开幕仪式。

“接下来，我们请这次活动的学生代表上台，为即将开始为期一周的研习营活动致辞。”

老师的介绍一结束，接着便有个男孩子小跑步到司令台上面。

“宣誓！”

男孩的声音经由麦克风洪亮而清晰地在礼堂里扩散,孩子们满是紧张和期待的表情跟着高举起右手。至少在这个时候,小瑜的心情也跟着有那么一点点的期待。

“第三十八届代表,徐！东！州！”

已经有一点按捺不住而浑身不自在的小瑜，突然间竖起了耳朵。徐东州？小瑜不敢置信地往司令台望过去，仔细看了一下正走下司令台的男生。

白皙的、挂着一副黑边眼镜的那一张脸,真的是小瑜见过的那个徐东州,没错。那个男生是小瑜学校里大家公认的美少男。

这个名叫东州的男孩子在学校里相当出名，除了每年都是当班长之外，功课好，运动细胞发达，加上长相帅气，在小瑜的学校里他的超人气无人能比。小瑜在三年级跟东州同班的时候，也曾偷偷地喜欢过东州。

“刚才他说他叫什么名字啊？”

当研习营的营长上台致辞的时候，芳荷小声地问道。

“啊？他叫徐东州。”

“徐东州？你认识他吗？”芳荷睁大眼睛问。

“啊！嗯。是我们学校的。”

“是哦？他功课怎么样？”

小瑜支支吾吾的，大概讲了一下关于东州的事情。

“噢！原来如此。”

芳荷的脸上浮现意味深长的笑容。

小瑜的自信心训练术

坐在前排座位集中精神

担心坐在前排被老师注意，害怕被老师点名，所以尽量坐到后排的座位，各位同学是不是也有过以上这样的经验？

不过，这不算是很好的做法。坐在后排座位，也许能因为离老师比较远而感到安心，但是上课时可能就会不太专心，很容易注意力分散。

下次上课的时候，不妨试着坐到前排座位吧！

刚开始可能你还是很不自在，怕跟老师四目接触，但是适应一段时间后你会慢慢习惯的。

给缺乏自信的你：

怀抱天下无难事的决心小心翼翼踏出第一步，
你真的很了不起！
多么希望这魔法般的力量，
从一开始到最后都伴随着你凡事都顺心，
但是，自信心这东西不像数学的加法，
可以每一次都累加。自信心有时候像加法和减法，
有时候又像乘法和除法，是一种让人捉摸不定的力量。
既然如此，怎么做才能拥有自信呢？
想要拥有自信，其实比你想象的容易呢！
失败了不要气馁，
直到最后都抱持做得到的想法继续下去！
这就是迈向成功，培养自信心的第二步。

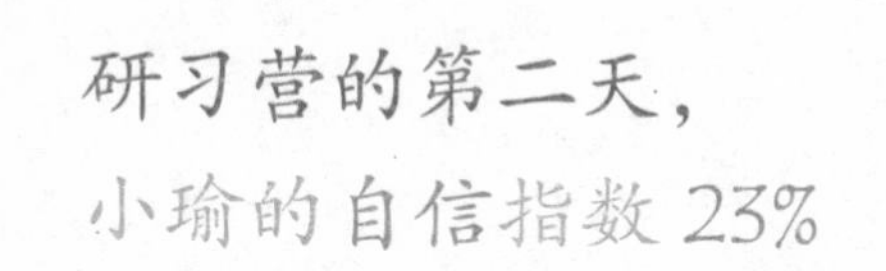

研习营的第二天，
小瑜的自信指数 23%

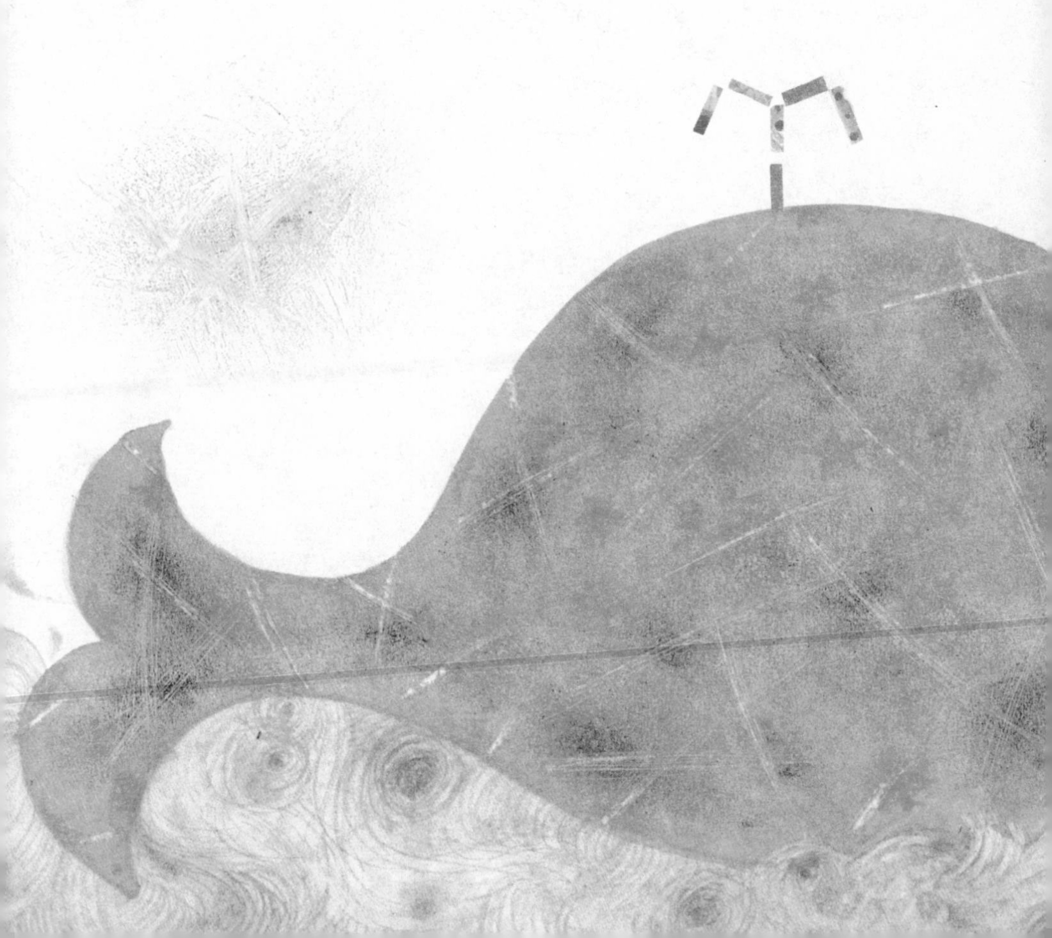

选上副队长？

小瑜多么希望找个洞躲起来。如果有洞的话她真的很想马上消失，逃离这个尴尬的气氛。

“哐哐哐！”有人在门外用力地敲打门板。

“起床！起床！”

小瑜被这声音吓得惊醒，睡眼惺忪地看看房间四周。

小瑜记得刚才好像还在自己的房间里睡午觉，然后跟平常一样妈妈正在打自己的屁股要自己起床。可是张开眼睛一看，妈妈已经不知去向，只见房间里陌生的窗门和不是自己惯用的棉被。这是怎么一回事啊？

小瑜这才注意到房间里其他的同伴还在睡梦中的脸。

（呼，原来是我在做梦。）

小瑜这才想起昨天晚上躺在陌生房间里的陌生床上的情形，她听着几个不认识的同伴叽叽喳喳聊天的声音，

在想念妈妈的思绪中翻来覆去，好不容易才睡着。

小瑜突然间很想念妈妈，好想听见早上妈妈轻柔叫自己起床的声音，想念妈妈身上淡淡的香味。

这时，有人又非常用力地敲打房间的门。

“还这么早，是谁啦？”

先是芳荷揉着惺忪的眼睛爬起来，然后是允婷还有娟娟，也都一脸茫然地从床上坐起来。

“好了，大家准时在二十分钟之后到礼堂集合！先做早操，然后吃早餐！”

门外传来老师叫大家起床的声音。

“做什么鬼早操嘛！让我们再多睡一下啦！”

娟娟把棉被拉起来盖到头顶，用沙哑的声音抱怨道。

珍珍在这个时候醒了过来。珍珍看起来好像眼睛不太能张开，努力地眨着眯成直线的眼睛。

“哇哈哈，你们看她的眼睛！完全变成金鱼眼了耶！”

听到允婷在大惊小怪，娟娟急忙掀开棉被察看珍珍。

“哈哈哈，昨天晚上烦死人了，一直哭着要妈妈，真是活该！”

“就是说啊！真的很夸张耶！今天晚上拜托你安静地睡觉，小不点。”

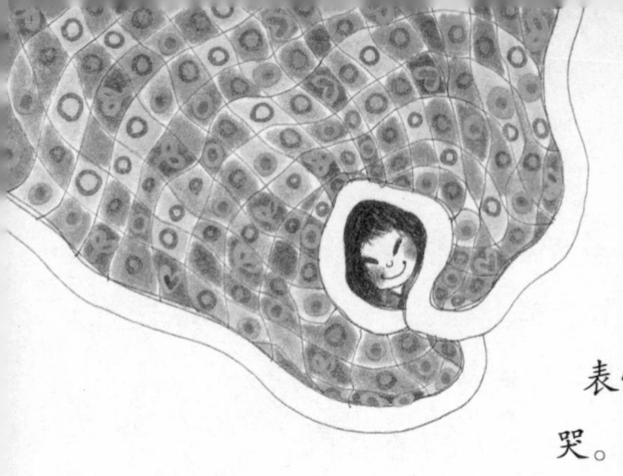

芳荷拿起盥洗用具边说边往外走去，珍珍的表情看起来好像快要放声大哭。

“不要难过，没关系啦！”

小瑜轻轻地拍拍珍珍的背，体贴地安慰她。

“哈哈，她们两个在干吗？大家不过是说着玩的，一个快要哭出来了，另外一个居然还真的安慰起来了呢！哇，她们两个一下子就把我们全都变成坏人了！”

“是啊！那个小不点爱哭也就算了，高小瑜她干吗这么鸡婆啊？”

听到允婷这一番话，小瑜不由得当场涨红了脸。

允婷跟娟娟嗤之以鼻噘着嘴往外走去，珍珍怯生生地靠过来说：

“大姐姐，对不起。都是因为我才会……”

“没关系啦！”

虽然嘴里这么说，其实小瑜因为莫名其妙被人误会而心里不大舒服。

终于到了第一天的早操时间。

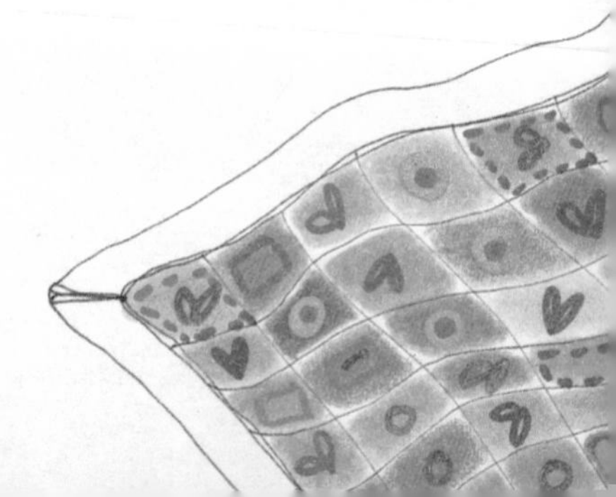

小瑜一一地观察了一下跟自己分在同一队的伙伴们。

胖嘟嘟的祯祥，形影不离、看起来爱调皮捣蛋的硕志和俊英，给人冷漠印象的娴雅，跟小瑜同住一个房间的珍珍和芳荷，还有那个徐东州。

小瑜望着芳荷和东州的脸，心里不禁感到忧喜参半。就在这个时候，小瑜的目光正好迎上东州的目光。

“嘿！你真的是高小瑜！”

东州似乎很惊讶。就在小瑜一时之间听不懂这句话的意思而感到困惑时，东州已经朝小瑜走了过来。

“我本来以为来这个研习营很难遇到认识的人呢！”

“啊？呃……”

“抱歉！抱歉！我好像来迟了！”

一位女老师急急忙忙地开门进来。她一走进教室，先是看了看手上腕表的时间，然后开始自我介绍。

“我的名字叫陈善美，研习营期间我是各位的辅导老师。大家能够像这样聚在一起也算是一个缘分，我们先互相认识一下再进入正题吧！各位同学，你们好！很高兴认识大家！”

老师活泼的自我介绍让孩子们一时之间不知道该怎么反应，只得糊里糊涂地向老师行了一个九十度鞠躬礼。

“老师好。”

“呵呵，看来你们已经被我这个美女老师的美貌迷得七荤八素的呢！不过啊，大家也不需要有太大的压力，当我是普通的老师来对待就行了。了解吧？”

“嘘嘘！”一群男生发出嘘声。

“你们都用这种方式来表达对老师的一见钟情啊？”

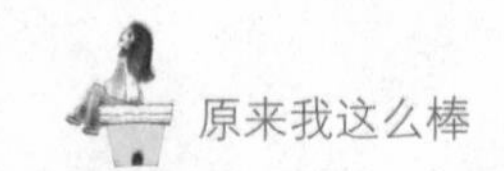

老师用开玩笑的表情看着孩子们。

“咦！老师是你想太多了啦！”

“哈，不用否认！我已经习惯了！大家都是事后找机会跑来说他们很喜欢我。不过呢，老师已经有一个情投意合的男朋友了，你们可要高抬贵手不要太迷恋我。知道吗？被太多人爱慕可是很累人的，真的！”老师打趣地笑着摇手。

“公主病，公主病！老师有公主病啦！”

“哎呀，你们怎么会知道的？我的绰号就叫公主病耶！你应该说，能被我这样的美女老师带队感到很荣幸才对。”老师语带诙谐地响应。

“哇，根本是公主病末期嘛！”

娴雅和芳荷互相对望着窃笑不已。

“好了，各位。我们要赶快选出一位队长，再来取一个响当当的队名，还要想一首代表我们这一组的主题曲，队员的名牌也还没有弄呢！唉，好忙啊！”

小瑜忽然发现这样的老师像《艾丽斯梦游仙境》里出现的奇怪兔子。

“那么，第一件事情，首先是选一个队长出来。想当队长的人举手！”

老师用充满期待的眼神一一巡视孩子们的眼睛。小瑜则是和老师的眼睛瞬间交会的一刹那，急忙别过脸去。一般来说，像这样的情况下老师们通常会把目光相触的学生叫上台去解答题目，或是回答问题什么的。自从小瑜有一次毫不回避地和老师四目相交，被叫到前面黑板去回答问题，结果答错了被全班取笑之后，她就不自觉地养成了习惯，看到老师的眼睛就马上低头避开。

"我！老师我要当队长！"

像选寝室室长那次一样，芳荷奋力地高举右手。

"噢！漂亮又有胆量的队长人选哦！还有没有？"

这次，换胖子的代表祯祥怯生生地举起手来。

"哇，很有安全感的队长人选呢！还有咧？"

老师的称赞让祯祥整个人心花怒放了起来。这时俊英和硕志一副调皮的样子，也跟着高举右手瞎起哄。老师似乎是比较希望所有人都能够主动毛遂自荐的样子。

"不管有没有举手，大家都看起来非常有领导魅力、漂亮又聪明呢！呵呵，我真的很希望让你们所有人都当队长，可是，队长只能有一个，实在是太可惜了。"

被称赞的孩子们藏不住窃喜的神情，努力地克制几乎要飞上天的心情。

“我们不如这样吧，每一个人轮流到前面来自我介绍，告诉大家你为什么想当队长，又为什么非当上队长不可的理由，再说说被选上之后打算如何领导自己的小队。在那之后，我们采取民主方式大家投票决定。小组的队名和团歌就留在最后再弄吧！可以吗？”

“好！”

孩子们一致表示赞同。

“那么，有谁要第一个出来介绍自己？”

老师的话一说完，芳荷高高举起右手。

“老师，我！”

“哇，她根本是爱现大王嘛，从刚才就这么爱现！”

俊英跟硕志毫不留情地揶揄芳荷的举动。

“老师倒是觉得她这是在争取机会，没什么不好啊！那么，芳荷，让我们感受一下你的魅力吧！”

大概是因为老师的称赞而受到鼓舞，芳荷一点都不畏缩，反而昂首阔步走到大家面前，站定了位置，然后向大家鞠躬。

“我是孝东小学四年级五班的郑芳荷。不知道你们晓不晓得有个知名女演员叫申芳荷？”

“谁不知道啊！你讲的是那个超漂亮的大明星！”

“嗯,没错。我爸爸还是单身的时候就很喜欢那个演员姐姐,他希望自己生的女儿也能够像她那样漂亮,所以也给我取名叫芳荷。如何啊?虽然我不是申芳荷,不过我应该也可以算是美女型的吧?”

“好想吐哦,怎么这么厚脸皮啊!我看她长得像南瓜才是真的!”

纷纷抬杠的人比点头认同的人还多。可是,芳荷一次都没有脸红,反而露出自在的笑容。

“我从一年级到现在,每次选班长从来都没有落选过,成绩一直也都是班上的第一名。我希望这次能当选队长,领导我们第三队当上第一名。我有绝对的自信可以办到。至于我究竟有几分真正的实力,等你们大家选我当队长之后就会知道了。不管怎么样,很高兴认识大家。希望为期一个礼拜的研习营我们能够相处愉快。加油!”

芳荷在回到自己的座位之前,对着所有的人又大声喊了一次加油。

“各位同学,我真的很希望能够当选队长。拜托。”

“拜托!”俊英故意学芳荷的声音,芳荷立刻露出嫌恶的表情瞪了俊英一眼。

接着是东州来到大家的前面。

“我叫徐东州，昨天就是由我代表大家上台宣誓。”

“啊，原来那个人是你哦？”

“那就不用选了啊！喂，你来当我们的队长好了！”

“赞成！”

男孩子们纷纷表示乐观其成。

“谢谢你们。虽然能够相处的时间并不长，不过，我希望能够在这一次的研习营活动中多认识几个好朋友，也希望可以愉快地度过美好时光。让我们一起把第三组成为最优秀的团队。啊，还有！不管是谁当选队长，我都很乐意担任从旁协助的角色。当然啦，如果是我本人有幸当选，自然是有绝对的自信来领导我们这个团队。很高兴认识大家。”

男孩子们表示非常赞赏并且力挺东州。

“哼，什么嘛！说到底还不是要我们选他当队长。”

娴雅一面拿着小镜子照自己的脸，一面语带不屑地小声说道。

接下来，俊英和硕志分别做了自我介绍，两人还一起载歌载舞地表演了一首最新的流行歌曲，展现了两人之间无人能及的绝佳默契。之后是对大家说将来的志愿是想当模特儿的珍珍，还有希望能够早一点成为游戏高手的祯祥。

最后轮到的是小瑜。小瑜紧张地红着脸，怯生生地站到前面看着大家。令人窒息的紧张气氛。所有人的视线一致投向小瑜。

“我的名字叫做……高……高小瑜！”

小瑜吃力地说出自己的名字，然后喘了一口气。

“哇?高小瑜的脸要烧起来了耶！”

“真的耶！ 119，需要119！ 出动！”

俊英和硕志顽皮地这么一闹，小瑜顿时不知所措，赶紧跑回自己的位子，其余的孩子们则都笑得人仰马翻。慌忙跑回自己座位的时候，小瑜不知道踢到了谁的脚，扑通一声摔倒在地。

“还好吗？”

东州的手伸向小瑜，准备扶她一把。

“干吗，你们在拍爱情电影哦？”

娴雅语带不屑地说道，小瑜慌张地推开东州的手，自己站起来走回座位。

“你叫高小瑜是不是？你的名字我绝对不会忘记的，不对，是忘不了才对！”

“怎么可能忘得了啊？为了当选队长居然五体投地

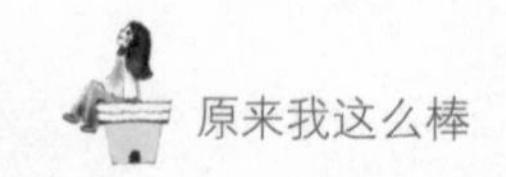

来拜票耶！哈哈哈！”

小瑜多么希望找个洞躲起来。如果有个洞，她真的很想马上消失，逃离这个尴尬的气氛。

“好了好了，你们可以停了吧！小瑜，你还好吗？”

小瑜红着脸点点头响应老师的关心。

“那好，那么到底该由谁来当队长，大家来做个决定吧！”

“好。”

“该选谁好呢？”

男生们异口同声地全体高呼东州的名字，小瑜坐在一旁悄悄地观察芳荷和其他女生的表情。从芳荷的表情不难看出，她希望女生们能够支持她当队长。可是，娴雅一副事不关己的样子只顾着照镜子，而珍珍很明显是已经完全被东州迷住，肯定是要不到她这一票了。芳荷朝小瑜的方向看了过来。

“你是我这一国的，对不对？我们的妈妈是好朋友，我们两个也是好朋友嘛！”

“啊？嗯。”

但是，纵然小瑜把选票投给芳荷，芳荷还是没能赢过东州。

“票选结果少数服从多数，看情形是由徐东州来担任队长啰？”

东州有些难为情地搔搔头，然后向大家行了一个礼。

“我会全力以赴，不辜负你们大家的厚望。我一定会很努力的，谢谢你们。”

芳荷气得涨红了脸。大概是对于队长的位子被东州抢走一事很气愤，她噘着嘴巴，铁青着一张脸。

“有了队长，自然也该有个副队长！各位，顺便也一起选一位副队长出来吧？”

孩子们点头附议老师的提案。

芳荷自认至少副队长的位子应该是属于她的，于是这才不再噘嘴。

“那么该由谁来当，有没有人想要推荐的？”

这时珍珍突然高举起右手。

“我推荐小瑜姐姐！我觉得高小瑜姐姐最适合当副队长了。”珍珍的提议，让芳荷、甚至连小瑜自己，也都吓了一跳。

“我同意！我才不要选那个爱现大王呢！”

俊英大声地喊着。随后硕志和祯祥，也都投以赞成票选小瑜担任副队长。

“其他人觉得这个提议怎么样？”

老师来回扫视了娴雅、东州、芳荷以及小瑜的脸。

“我尊重其他同学的意见。”

东州表示没有意见，却又高举小瑜的手以示赞成。

“这样看来，理所当然是选票过半的小瑜当副队长了。小瑜，你自己的想法呢？觉得应付得来吗？”

老师询问小瑜的意见。

“呃——可以不要接受吗？”

小瑜扭扭捏捏地好不容易说了这一句。别提有没有当过班长了，就连副班长也不曾当过一次，应该要做些什么事情，小瑜是一点概念都没有。可是，说自己根本什么都不会，又好像面子上挂不住，于是也就只好谎称自己没有那个意愿。

“我会帮你的。你也愿意协助我的，对吗？”

东州满心期待的表情说道。

“是啊，小瑜。有这么多同学都希望你出任副队长耶！你就试试看嘛！”

老师也跟着敲边鼓，试着说服小瑜。

“可是我是真的不想，我是真的怕自己做不好。”

见小瑜仍然犹豫不决的样子，老师故意装出像爸爸的语气说话。

“你这是哪儿的话呀！拿出你的自信来好好地表现，你一定没问题的啦！有一群同学这么支持你而且也愿意协助你，有什么好怕的呢？”

“我想要让给芳荷，芳荷一定会做得比我好。”

“不需要！”芳荷冷不防地回应说道。

“我才不要当别人的候补，要当你自己去当。反正你在学校从来没有当过干部，不趁这次的机会过过干瘾，恐怕很难再有机会啰！你说是吗？”

情绪已经坏到底的芳荷，狠狠地瞪着小瑜。

小瑜的自信心训练术

练习坦荡荡地表达自己的意见！

要在众人面前表达自己的想法是不是很难呢？可是，因为有很多人就不敢开口说话，这只会让自己变得越来越没有自信。在众人面前说话一定要记得声音要够洪亮，才能让大家把视线都专注在你的身上。

无论是在自己家里，还是在任何其他的场合，不妨试着用洪亮的声音说话。一开始必定免不了会感到难为情，但是一旦有了开始就会慢慢地产生自信，下一次就会表现得比第一次更好了。所有的事情都是需要经过反复地练习才能熟能生巧的！自信心，也就是经由这样的过程才能获得。

妈妈的忧心

> 如果知道妈妈来看她，小瑜那孩子可能马上就会变得更软弱。说不定，还会吵着要跟妈妈回家。您真的希望变成这样吗？

早上九点三十分。妈妈把小瑜的研习营日程表摊开在手边，继续作画。过了一会儿，又停下手上的动作看了看时间，然后再度拿起手边的日程表来又看了几眼。明明知道就算把日程表看破了，小瑜也不可能立刻回到家里来，但是妈妈就是觉得坐立难安。

（昨天晚上不知道有没有睡好？早上到底有没有赖床？那孩子该不会因为想家自己偷偷掉眼泪吧？）

妈妈担心得不断叹气。这时，Cookie 像是要安慰妈妈不要担心，汪汪地叫了几声。

“Cookie，我们家小瑜应该没问题吧？”

Cookie 用像是肯定的语气简短地汪了一声。

“就像你相信小瑜那样,我也应该要对她有信心。”

妈妈把手按在额头上,又一次重重地叹了一口气。

昨晚妈妈因为担心小瑜,到很晚都还是无法入睡。

“睡吧！这个时间,小瑜应该也已经在睡了。”

“老公，我们家小瑜，她要是换了陌生的床就会睡不好，你说她是不是能睡得好呢？吃饭呢？不知道到底有没有好好地吃饭耶？该不会现在这个时候她是在偷偷地掉眼泪吧？是不是我太贪心，害得我们家小瑜平白无故地去受苦啊？”

妈妈突然从床上坐起,开始胡思乱想地担心个没完。

“怎能算是去受苦呢？就像你说的,小瑜那孩子这次一定会学到很多,她会很好的,你就别操心了。”

“会是这样吗？可是，我们家小瑜没有我这个妈妈，就什么都不会。要是她在那里被其他的孩子欺负，那该怎么办？”

“你对我们家小瑜这么没有信心啊？依我看,好像你才是真正需要去参加那个研习营的人呢！”

妈妈顿时哑口无言。

“小瑜只是不愿意去尝试,其实她有能力做得很好。一开始可能会有一点不适应,不过,我相信她在研习营会过得很开心。所以，你也不要多虑了，快点睡吧！”

妈妈换了一个姿势重新躺下来，可是不一会儿又猛然起身。

“她真的有办法熬过一个星期吗？”

“当然啊！我反而担心你比担心小瑜还多呢！这样下去，能好好地过完一个星期吗？”

“这……”

“不妨这一次你就当做自己也在参加研习营，重新思考一下你教育小瑜的心态。”

“我做错了什么吗？”

“你每天总是把小瑜该做的事情，都替她弄得好好的，做到这么无微不至的地步，这会把你自己给累垮，然后令小瑜变得永远搞不清楚自己该做什么，为了凡事都要符合你的期待而筋疲力尽。”

“老公，你这是在怪我啰？”

“我没有怪你的意思，我只是希望你们两个人都暂时放轻松。你不可能永远都在小瑜的身边，像个秘书替她处理好所有的事情。你不是说希望小瑜能够自信一点、勇敢一点的吗？既然是这样，那就给小瑜一个改变的机会，替她创造一个环境。而且，我们应该要耐心地等待。

你不是小瑜，小瑜也不是你。有时候，我发现你似乎忽略这一点。”

“我做的一切都是为小瑜着想啊！”妈妈哽咽地说。

“当然，这一点我了解。不过，其实你可以改变一下方式，或许情况会更好。我只是这个意思。总之，先睡吧！这个礼拜我们就耐心一点，给小瑜一点时间。”

“我知道了。”

虽然话是那么说，但是妈妈心里的担心一直到早上都不曾停过。对着忧心忡忡的妈妈，Cookie 像是在鼓励似的又吠了一声。

“好好好，我知道，我知道！从现在开始我不要担心小瑜，我不担心好不好！”

但是，工作做到一半妈妈突然匆忙换上外出服，拿起汽车钥匙，一路开车前往江原道的研习营。除非亲眼证实小瑜一切安好，要不然妈妈实在是没有办法让自己放心。

“啊！这是什么！”

吃过午餐后，走进体育馆的众人瞠目结舌地看着眼前的巨大物体。原来是那里设置了一个高大的人工岩壁。

“呀呼！一定很好玩！”

“这是什么啊？为什么要放这种东西在这里啊？我们又不是来这里受魔鬼训练的！”

不同于男孩们兴奋不已的反应，女孩们显得有些担心害怕。其中，甚至有几个女孩子好像已经快要吓哭了。

“干吗这么胆小啊？一定有安全措施的啊！老师们自然会替我们安排得好好的，有什么好害怕的？”

芳荷冷冷地说道。

“哇！这么高可不是闹着玩的耶？你一点都不害怕？”

娴雅抬头看一看人工岩壁的顶端说道。

“有什么好怕的？一定很刺激好玩！”

这一次，芳荷的眼神依然自信满满。小瑜打从心底十分羡慕这样的芳荷，同时觉得她这个女生很不可思议。就像妈妈那天说过的，这一瞬间，小瑜也不由自主地觉得，要是自己能有芳荷一半的勇气就好了。

“学姐，我们要是从上面掉下来会怎么样啊？”

珍珍紧张地望着小瑜。

“笨蛋！怎么会问这么白痴的问题啊？不用说，当然是摔成烂西瓜啰！”

祯祥拍了一下珍珍的肩膀，一副等着看好戏的表情。

"喂,李祯祥!我看你才要小心啦!要是你从上面掉下来一定会引起大地震!"

珍珍不甘示弱地回敬一句。

小瑜也和大家一样感到害怕,可能的话,真的很想偷偷躲起来。大老远跑来这里,居然又碰到要上体育课?小瑜感到有些烦躁。体育课是小瑜最不擅长的科目,也是最讨厌的科目和死穴。

小瑜每次赛跑总是最后一名,跳马也是每次都失败,最后屁股总是卡在木马上。比赛吊单杠没两三下就掉下来,甚至有人替她取了个绰号叫"一秒钟"。因此,小瑜的体育成绩从来不曾拿过"优"。她也努力过想要表现得好一些,但是每一次都因为身体不听使唤而失败。尤其是那些每次见到小瑜迟钝的动作就拍手叫好的同学,让小瑜变得对体育课越来越丧失信心。后来,小瑜想出了一个逃避的方法,那就是每次上体育课的时候假装肚子痛。

于是小瑜只好故技重施,打算假装肚子痛来逃过攀岩训练。

"哎呀!"

小瑜突然捧着肚子坐在地上。

"学姐,你怎么了?"

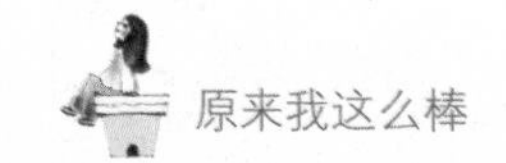

大吃一惊的珍珍赶忙蹲在小瑜旁边。

“肚子很痛……”

“怎么会这样！”

小瑜好像连说话都很吃力似的摇头。

“你先坐一下。我去帮你跟老师说。”

珍珍好像忘了自己其实也很胆小，急忙走到正在检查人工岩壁的老师身边，报告小瑜的状况，然后带领老师过来看小瑜。

“怎么了？很严重吗？哪里痛，这里吗？”

老师动作稍嫌夸张地为小瑜检查身体。

“呃，是这里。”

小瑜尽可能地指了一下不容易被摸到的位置。

“你有没有想吐的感觉？”

小瑜偷偷地观察着老师的表情。

“哦，好像有一点点，又好像没有。”

“我知道了。你先坐在这里休息一下吧！”

“好。”

成功！小瑜很努力地不让别人看出她心里的窃喜。

“老师，我想要陪小瑜学姐留在这里。”

珍珍拉了一下要起身走开的老师。

“你这鬼灵精！你是不是想要找借口不参加攀岩训练啊？”

“才不是呢，老师！”

可是，任谁都看得出来珍珍心里打什么主意。

“好吧，我知道了。那你留下来陪小瑜吧！我让你排最后一个。”

老师诡异地笑着回到前面去了。

小瑜皱着眉头，假装很不舒服地走到最后面的位子。

“咦，大学长！大学长也不舒服吗？”

注意到东州的珍珍关心地问道。

“嗯，肚子有一点痛。我想休息一下能不能好一点。”

“怎么大家都突然不舒服啊？小瑜学姐也说肚子痛。”

“你也是？”

东州露出担心的表情看着小瑜，小瑜很不自在地笑了一下点点头。

“什么啊！队长、副队长两个排排坐在那里一起闹肚子痛？你们两个还真速配耶！”

娴雅不屑地冷嘲热讽，旁边的芳荷也嗤之以鼻地白了他们两人一眼。

“好了，这里的安全措施很牢固，应该不用担心会掉

下来。拿出你们的自信心，每一步都谨慎地抓牢上面的石头爬上去。一点都不用害怕。”

老师为孩子们详细说明了攀爬人工岩的技巧。

稍后，从第一队开始，孩子们轮流上前去。气氛十分凝重，那些每往上爬一步就哇哇大哭的人让气氛更加紧张。坐在最后面观望的珍珍，这时也忍不住好奇地冲到前面来跃跃欲试。

“我啊，爬到很高的地方会觉得头晕。”

东州微笑着对小瑜说道。

“啊？”

“总觉得一定会摔得很惨。”

“我也是。”

小瑜也害羞地笑着回应东州。小瑜不免在心里猜想，东州是不是也跟自己一样害怕攀岩训练，所以故意装肚子痛躲在后面。想到这里，小瑜自己都不自觉地扑哧笑出来。

“怎么了？”

东州好奇地盯着小瑜。

“没有，没事。呼，那个东西这么高。没事为什么一定要爬上去啊？爬上去之后还不是又叫我们想办法下来？干脆不要去爬，就用不着麻烦了呀！”

小瑜小小地抱怨了一下。

“那倒是。不过，如果能够成功地攀爬上去，你不觉得好像再也没有什么事情能难倒自己吗？”

“才怪，爬完那个东西就能变得那么勇敢吗？总之，我不喜欢就是了。体育课对我来说是很可怕的。”

听到这里，东州只是微微一笑。

“说到这件事，三年级的时候你好像也是每次体育课就闹肚子痛耶，是不是？”

“啊？”

小瑜红着脸不知所措。

“啊，轮到我们这一队了！好像又是芳荷第一名耶？”

芳荷转眼间成功地完成攀岩训练，意气风发地站在人工岩壁前面。

“芳荷不管任何时候都好像很有自信的样子。”

“就是说啊！呼，真让人羡慕！”

小瑜羡慕地望着芳荷自信的身影。

“你不需要羡慕吧？你一样也可以很有自信啊！”

一开始芳荷看起来有一点犹豫的样子，然后她似乎马上就想好应该要怎么开始，一步一步毫不畏惧地往人

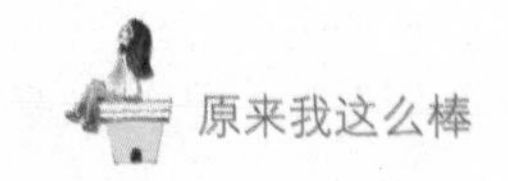

工岩壁顶端攀上去。

“呀呼！”

芳荷兴奋得大声欢呼。

“哇，郑芳荷！好像神力女超人哦！”

“偶像！学姐，好厉害哦！”

站在下面观望的硕志和俊英，嬉闹着大喊芳荷的名字，芳荷一副神气的模样耸了耸肩膀。随后，芳荷沿着童军绳迅速地从上面滑了下来。小瑜看在眼里，感觉像是自己的身体在半空中腾空，紧张地吞了一下口水。滑下来的瞬间，芳荷似乎也有一点害怕，小小地尖叫了一声，不

过总算平安地着地。

“真是太好玩了！”

芳荷兴奋地涨红了脸，回到自己的座位。

“少唬人了！你其实是吓得差一点尿裤子了吧？”

俊英和硕志两人肩并着肩，打趣地绕着芳荷转圈。

“我才没有呢！倒是你们自己可别尿湿裤子呢！”

芳荷有些不高兴地说道。

这个时候，东州拍拍屁股站起来。

“你要干吗？”

小瑜不解地问了一下。

“就快轮到我了啊！”

“不是肚子痛吗？”

“有一点。不过，还不至于动不了。”

（难道你不是跟我一样找借口不做攀岩训练，才装病的吗？）

小瑜用惊愕的眼神看着东州。

“你应该也去试一试才对。如果每一次你都这样打退堂鼓，也许这一辈子什么都不会了。来，一起加油！”

东州对小瑜高呼加油，然后抬头挺胸走到最前面去了。小瑜觉得自己的心思好像被东州看穿，难为情地羞

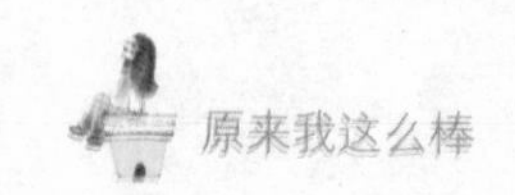

红了脸。

东州颠覆了小瑜的猜测,成功地完成攀岩训练。

沿着童军绳往下滑的时候，东州甚至还学超人的飞行姿势,看得出他似乎也有一点畏惧的样子,落地的时候紧张得脸都红了。

(大家都好厉害！换作是我的话,可能攀到一半就吊在那里下不来了。大家都看着我一个人，见到我像胆小鬼的样子一定会取笑我吧？呼，光用想的就已经很可怕了。唉,这一堂课怎么过得这么慢呢？真希望赶快结束,然后去上别的课。)

说时迟那时快。

“高小瑜！应该休息够了吧？到前面来吧！”

“为……为什么？”

“轮到你了呀。”

“我……我肚子还在痛！”

“你看起来好多了嘛！来试试吧！这个真的很好玩哦！”

小瑜不能再继续推辞下去，这才明白原来老师一开始就知道小瑜在装病。

(这下完了！)

小瑜就快要哭出来似的，百般不愿意地朝人工岩壁走过去。

“攀上去的时候尽量不要往下看，这样会比较容易。”

走回自己位子的东州，在小瑜的耳边悄悄地说道。

小瑜举步维艰地走上前，先戴上安全帽，直到老师在自己的腰上绑上安全带，整个人还是很僵硬地站着出神。

“还好吗？”

听到老师关切的问话，小瑜艰难地点点头。

“拿出你的信心来！这个一点都不危险，你不用怕，知道吗？就算真的掉下来了也不用担心。老师会在下面第一个把你接住的！看到老师这一身肌肉没有？”

体育老师卷起袖子露出一截光滑的臂膀。

“呜呜！才那么小块哦！老师，你等一下最好不要接祯祥，不然你的手臂会断掉哦！”

娴雅和芳荷从不放过任何挖苦别人的机会。

这时候已经在人工岩壁上面的珍珍，每踏出一步就不停地尖叫，就在好不容易攀到中间位置的时候，涨红了

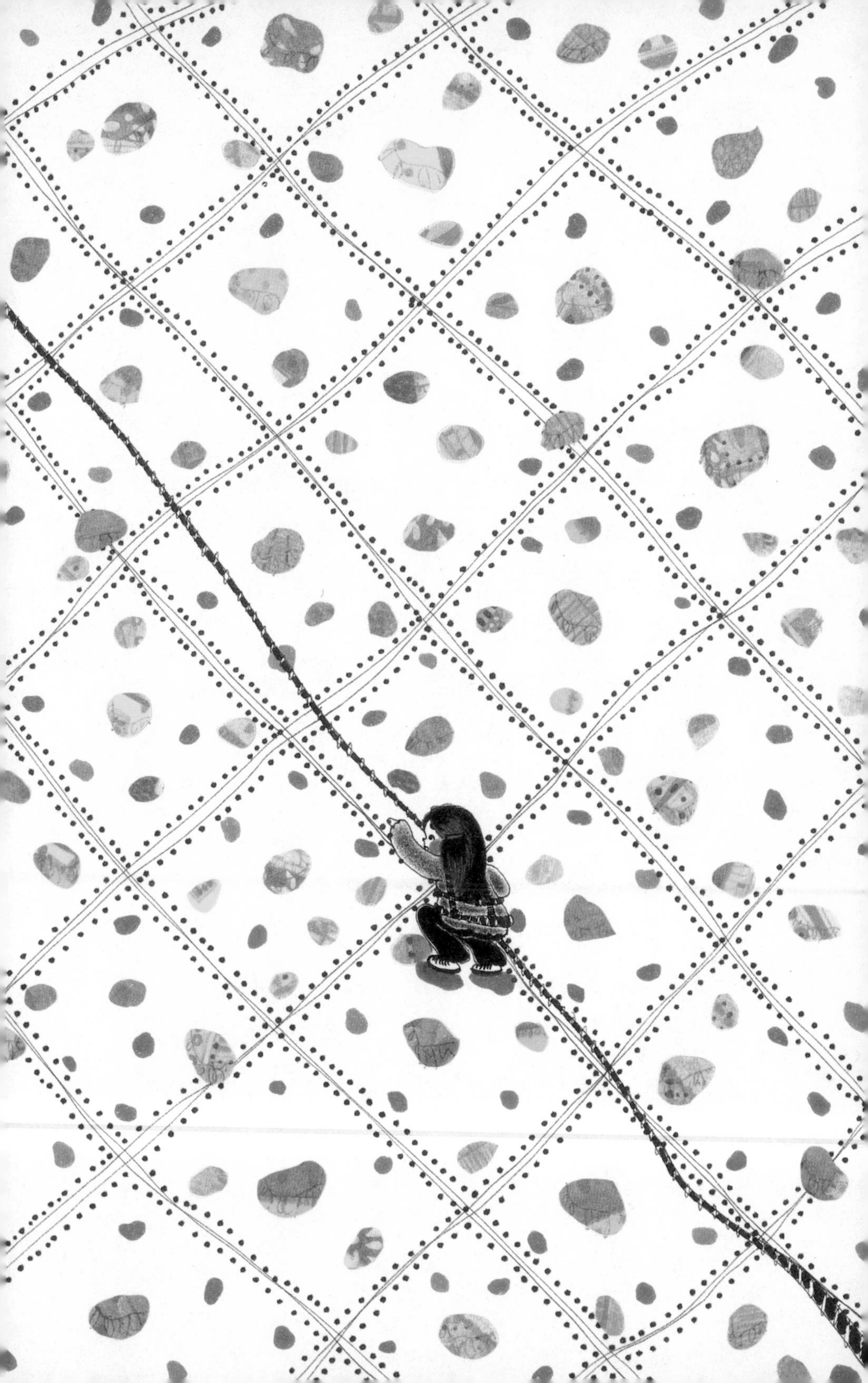

脸并且开始放声大哭。

“我好害怕，让我下去啦！我不要再爬了。”

“就是这样，做得很好。不要心急慢慢来，很好，继续保持下去就对了。”

小瑜觉得身体不停在发抖，不过，老师的鼓励使得小瑜还是不得不继续地勉强往上爬。真正亲身体验之后，小瑜发现事情原来没有想象中那么难。比起吊单杠或是跳木马，这件事情容易多了。

“119加油！消防车出动！原来你还蛮厉害的嘛！”

男孩们调皮地嬉闹着，小瑜又难为情地红了脸。就在这时候小瑜不小心踩空了脚，嗖嗖嗖地整个人往下滑。

“妈妈！”

那一瞬间，惊慌失措的小瑜尖叫了起来。

“不要怕，不要怕！”

老师试着安抚小瑜，但是小瑜完全没有办法不去害怕。这一瞬间，好像去了一趟地狱，觉得眼前一片空白。小瑜就这样被绳子吊在半空中，整个人因为战栗而抖得更厉害。

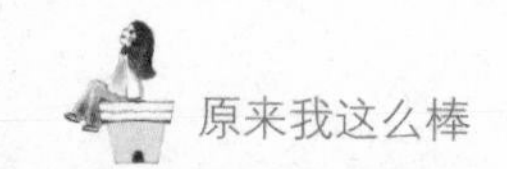

“老师帮你把绳子贴近岩壁，你试着把脚靠上去，了解吗？”

老师把绳子往岩壁上靠拢。

“啊！不行，我做不到。放我下去啊！”

“现在你就快要到最上面了，再加把劲啊！”

听到老师这么说，小瑜下意识地往下看了一眼。高度让人眼冒金星，居然爬了这么高！小瑜再也没有力气往上爬，更没有勇气滑下去，就这样束手无策地吊在半空中晃来晃去。

老师再一次催促小瑜。

（唉，我就知道自己会这样。刚才我应该要假装痛到最后的！这样的话，我现在就不用这样丢人现眼了！都是老师害我的！）

小瑜像是马上会摔死似的不断尖叫，最后甚至开始号啕大哭起来。

“啊！救命啊！拜托谁来救救我！”

小瑜听不进老师说的话，再也没有办法做任何事情。最后，老师拉住绑在小瑜腰间的绳子，一点一点慢慢地让她滑下来。

“啊！慢一点，慢一点啊，老师！”

被救下来的时候一路上还是不停惊叫的小瑜，两脚一着地便直接瘫坐地上。

（我果然做不到，我早就知道自己办不到！）

豆大的眼泪滑过小瑜的脸颊，一滴滴地掉下来。

“营长，让我见一见我们家小瑜好吗？”

营长端来一杯茶放在突然来访的妈妈面前，静静地笑而不答。

“如果知道妈妈来看她，小瑜那孩子可能马上就会变得更软弱。说不定，还会吵着要跟妈妈回家。您真的希望变成这样吗？”

“可是我还是会忍不住担心……”

“也有其他的家长像您这样突然来访，不过，我还是劝您不要太担心。只要过一个礼拜，孩子们一定会带着惊人的改变回家的，请母亲耐心地等一阵子吧！可以吗？”

营长不慌不忙地安抚妈妈。

“今天开始我们会把孩子们的活动照片放到网页上，家长可以透过网页确认活动情形。另外，如果您有什么想告诉小瑜的话，也可以利用我们的留言版留言。我们

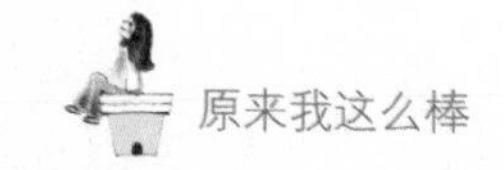

会打印出来替您交给小瑜的。”

妈妈别无他法，便起身告辞。

就在经过体育馆的时候，妈妈听见一群孩子的尖叫声从里面传出来，妈妈的心跳猛烈地加速。妈妈举起颤抖的手，悄悄地把门推开一条小缝，往里面看去。

距离大约两米的前方，有一群孩子在攀登人工岩。有的孩子动作敏捷地爬上去，然后学超人飞行的姿势从容地滑下来。有的孩子边哭边叫，举步维艰地往上爬。还有中途停住不动再也不敢往上爬的孩子。就在这个时候，妈妈看见小瑜走到预备的位置。

（高小瑜，加油啊！）

妈妈紧握着双手在心底呐喊。一开始，小瑜看起来有些踌躇不前。过了一会儿，一步一步谨慎地往上爬，总算爬到相当的高度。

妈妈紧张得手心直冒汗，暗暗祈求小瑜能够过关。

（这就对了！加油，我们家小瑜很棒！）

妈妈像是自己也在攀岩训练，不自觉地跟着做攀岩动作。突然间，小瑜踩空了脚，嗖嗖嗖地往下掉，妈妈差一点跟着惊叫出声。所幸，小瑜及时用脚钩住了人工岩壁的一角，但是却陷入动弹不得的处境。隔着远远的距离，妈妈仍然可以清楚看见小瑜因害怕而紧张的脸。

（小瑜！小心啊！）

“虽然目前并不是太让人放心，不过，结训的时候他们会完全不一样的。”

妈妈大吃一惊，转身一看，营长早已经站在身后看着里面的情形。

“我知道您放心不下，但还是请您再耐心等一等。给孩子一点时间，让她靠自己的力量找到自信。”

营长的一席话，让妈妈必须吃力地故作轻松，不让人看见她心疼孩子的眼泪。

“太太，你确定一定要这样吗？”

小瑜的父亲下班一回到家里，就见妈妈躺在床上一动也不动。离开研习营之后，妈妈立刻打电话给爸爸，流着眼泪坚定地说要把小瑜带回家，但是爸爸同时也坚决反对这么做。

“要是看到你现在这个样子，你想小瑜会怎么说？”

妈妈的眼眶立刻泛红。

“把孩子送去研习营的时候，你是怎么说的？你告诉我要让小瑜靠她自己找到自信。我们何不给小瑜再多一

点时间来完成这件事。相信小瑜吧！小瑜现在一定很努力地全力以赴。需要有我们的支持小瑜才能找到自信，你说是不是？”

妈妈想不到任何一句话可以反驳。

“好了，现在先来看看，今天我们家小瑜都忙了些什么吧？”

爸爸先是打开电脑，然后找到了小瑜参加的研习营网页。网页上可以看到今天小瑜参与的所有活动照片。小瑜在大家面前做自我介绍时害羞脸红的模样，攀登人工岩的身影，在人工岩上不小心被吊在半空中吓哭的模样，全被纪录在照片里。

“话又说回来，我们家小瑜还真像你这个妈妈，没什么体育细胞，这可不能否认了吧？”

爸爸调皮地推了一下妈妈。

“是啊，小瑜就是像我，那又怎么样！”

看着小瑜的活动照片哭哭啼啼的妈妈，立刻不甘示弱地用哽咽的声音抗议。

“噢，你看看这里！家长可以留言给孩子，他们

会打印下来交给本人。我们一起来写一封信，给小瑜打打气吧？”

妈妈这才想起营长白天也提过这件事情，于是点点头以示同意。

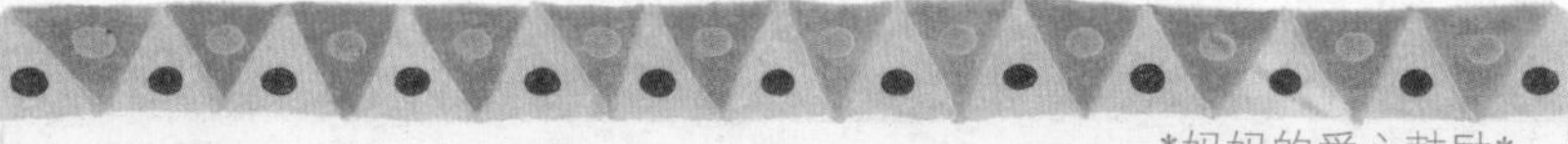

妈妈的爱心鼓励

我相信你一定办得到！

做某些事情的时候，我们其实也了解大人担心、想要保护我们的心意。

但是，请静静地在一旁给予支持就好。

不要担心我们会做错或是做不好，也不要心急，请相信我们。

如果大人一再地指示我们要这样、要那样，强迫我们这个要这样做、那样做，这样的督促只会让我们变得胆小。

即使我们没能达到大人的期望，也请说“我相信你一定办得到”来鼓励我们。

父母亲的支持胜过千言万语，能为我们种下自信的种子。

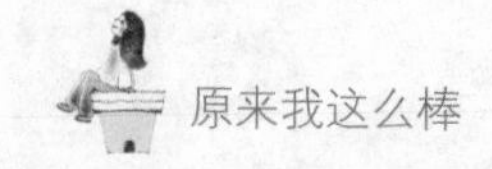

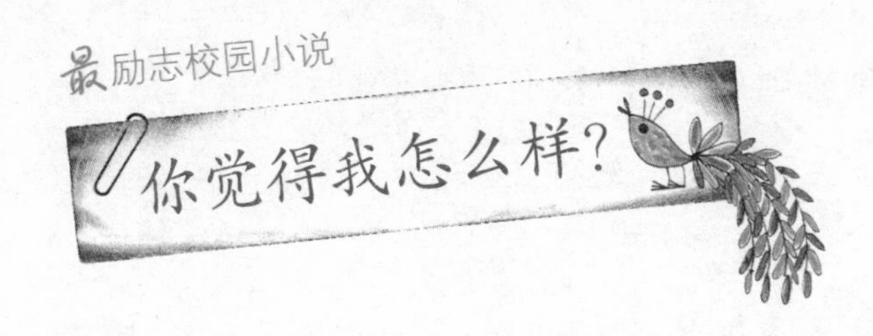

我，觉得你很不错。
我想跟你交往。你觉得我怎么样？

早已经过了晚间熄灯时间。

包括小瑜在内的所有孩子们，大家都压低了声音在嬉笑聊天。

“明星有什么好的？年纪比我们大那么多，而且永远是电视里面的人物！只有小孩子才会幼稚得去崇拜那些明星。”

每一个人都在兴高采烈地谈论自己喜欢的明星，芳荷却语带不屑地从中打断大家的话题。

“那你呢？你一定也有个喜欢的人吧？”

“那还用说！”

“是谁啊？”

允婷转过身躺到芳荷旁边问道。

“你一定又是要说杨栋宪对不对？”

“杨栋宪？那是谁啊？”

听到跟芳荷是同校的娟娟这么说，允婷立刻睁大了眼睛问。

“是郑芳荷的男朋友啦！”

“不，我已经决定以后只当他是同学。我现在终于找到了一个，跟我简直是天造地设的男生了！”

芳荷说话的样子，像白雪公主终于遇见前来救她的白马王子。

“你们知道跟神力女超人最速配的人是谁吗？”

芳荷冷不防地问大家。

“是……超人吗？”

静静坐在一旁，听大家聊天的小瑜怯生生地说道。

“高小瑜，宾果！”

芳荷压低了声音兴奋地喊道。小瑜莫名觉得有些得意，微微地笑了一下。

“然后呢？这跟超人到底有什么关系啊？”

娟娟不耐烦地坐直了身体。

“你们说，这次来参加研习营的男生里面哪一个看起

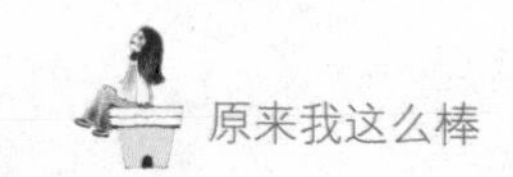

来最酷？”

芳荷又故意卖关子。

“我啊，我选徐东州！对人亲切，心地又好，又那么勇敢！”

“对哦，刚才我听他唱歌还挺不错的！”

“嗯，而且他长得很帅耶！”

“啊！白天的时候，我看到他亲切地帮一群女生拿烤地瓜哦！”

孩子们你一言我一句地争相称赞东州。小瑜也连忙跟着点头。

来参加研习营的男生当中，东州的确是与众不同。一如允婷刚才所说的，傍晚的活动结束之后，在户外用土窑烤地瓜的时候，他待人非常友善。东州亲自帮那些怕烫的女生拿热腾腾的地瓜，还事先剥开包住地瓜的铝箔纸。他帮珍珍拿地瓜的时候，甚至还贴心地先把皮剥掉，然后不忘叮咛她要小心吃，不要烫到。跟那些忙着只顾自己的男生比起来，确实是不太一样。

“嗯，给你！”

东州也拿了一个刚烤好的地瓜，给一整天都闷闷不乐的小瑜。

“你看起来很像软软的墨鱼哦？整个人有气无力的，就像我现在这个样子。”

东州当场模仿起小瑜沮丧的样子。小瑜看了忍不住地扑哧笑出声。

“就是这样！笑起来好看多了。吃完地瓜要振作起来哦，反正接下来还有机会可以再来。”

不好意思婉拒人家的好意，小瑜只好咬了一口地瓜。

“啊！高小瑜在吃地瓜！在吃她的同类！”

硕志调皮地取笑小瑜。

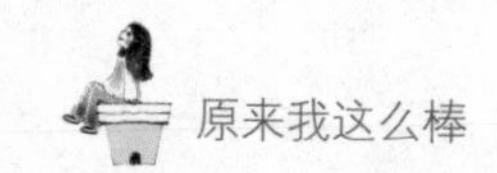

“别闹啦！”

东州微笑了一下，然后突然凑近脸红的小瑜耳边悄悄地说：

“其实，我在爬人工岩壁的时候真的也很害怕。你都不知道，其实我是很辛苦地在假装勇敢。呼！”

东州好像在回想当时的心境，整个人颤抖了一下。

“至少你爬到了最上面，而我并没有。”

小瑜沮丧地一面叹气一面发牢骚。

“但是你也爬了差不多一半的高度，不是吗？一开始你根本连尝试都不愿意。不过，后来你还是鼓起勇气接受挑战了啊！这才是最重要的。有句话说，好的开始是成功的一半。你已经做得很好了，多给自己一点肯定才对啊！‘高小瑜，做得好！’多多像这样鼓励自己，以后你只要勇敢地踏出每一步就行了。”

东州像个大人似的安慰小瑜。

“你真的很棒，高小瑜！以后也要继续加油哦！”

小瑜这时了解到，东州十分懂得设身处地地为别人着想。不过，小瑜还来不及对东州说谢谢，东州已经转过身递上烤好的地瓜给芳荷。

小瑜时而偷看东州亲切服务别人的身影，脸上带着微微的笑意。

“高小瑜，你来说一说。就在我快要吃完第一个地瓜的时候，也不知道徐东州是怎么知道的，他竟然又适时地拿了另外一个地瓜给我，对不对？”

芳荷叫了一下在想事情发愣的小瑜。

“啊？是啊！”

“这就对啦！这就表示，徐东州有在偷偷地注意我，对不对？这是什么意思呢？也就是说啊，徐东州他在偷偷地喜欢我，一定是这样的！”

允婷和娟娟、还有珍珍，三个人羡慕和嫉妒参半地小声尖叫。

“对哦！白天做攀岩训练的时候，学超人的样子从上面滑下来的男生，好像就是徐东州吧？”

慢半拍的娟娟突然想起来了似的说道。

“没错！”

“啊，他真的很帅耶！好羡慕哦！芳荷来参加研习营，就交到男朋友！”

“还不知道呢！不过，马上就是了！”

“这么有自信啊？”

“你们谁都不许喜欢徐东州哦！他已经被我订下来

了！我很快就会要他跟我交往的。”

“哇！”

突然有人从外面推开房门。

“有鬼啊！”

惊恐的孩子们发出一阵尖叫声。

“你们这些小鬼！不睡觉还在偷偷聊天啊？”

孩子们嬉笑着纷纷躲进自己的棉被里。连忙跟着大家躲进自己棉被里的小瑜，并没有马上入睡。不管是闭上眼睛还是张开眼睛，东州的脸一直浮现在她的眼前。

来到研习营的第三天。

讲台前面的大型白板上，写着几行斗大又醒目的字：“团结日的真正意义是什么？答案是建立真正的友谊。”大家被分成五个小队，各自在不妨碍别人的范围内进行不同的活动。

小瑜这一队要进行的是比掌力游戏。

这是两人一组互相对望，双方要掌心对掌心，然后必须想办法破坏对方身体平衡的游戏。但是在游戏进行之前，双方必须掌心对掌心，彼此对看几分钟。

“咦，我规定每一组都要互相对看，看来好像有人不太愿意哦？”

听到老师这么说，小瑜马上又脸红起来。无巧不成书，对象偏偏是东州。小瑜才刚在东州面前站定，心脏马上就扑通扑通猛烈地跳个不停。

（啊，东州会不会也听见这个声音了呢？怎么还不赶快直接开始游戏，干吗叫我们没事对看这么久！莫名其妙叫我跟一个男生对看，对象居然是东州！）

小瑜的手心不停在冒汗。

“哎哟，老师！可不可以跳过这一段啊？”

“对啊！直接开始玩掌力游戏嘛！再看下去我都想吐了啦！”

硕志和俊英好像很怕被人知道自己难为情，刻意装出一副受不了的样子说道。

“要是错过这一次，你们哪里还有机会跟这么赏心悦目的俊男美女，掌心对掌心彼此对看啊？”

“不需要啦，再看下去眼睛要瞎掉了！”

“我们也不要，才不想跟这么幼稚的男生对看呢！”

“你们听我说！”

老师一摆出威严的样子，孩子们才又心不甘情不愿地举起手来掌心对掌心。

“记得今天的活动主题吧？团结日，建立真正的友谊。我们现在不仅只是为了玩游戏，这个活动同时也是希望你们能够发现到，原来有这么美好的朋友在自己的身边，希望大家能够分享彼此的真心。明白吗？”

大家仍然是浑身不自在的表情，不安分地动来动去。

“不要一直提醒自己对方是男生或是女生，你们只需要把对方当做是好朋友。除了用心地感受对方的体温，啊，原来你的眼睛这么大哦？咦，原来你这里有一颗痣啊？像这样仔细地观察身边不曾注意过的好朋友。刚开始大家一定觉得不太容易，不过很快就会适应的。”

“啊！张允婷有鼻毛！”

硕志的话让原本好不容易专心的孩子们功亏一篑，大家又开始七嘴八舌地讲起话来。

“这个游戏，比我们想象的要难多了，你觉得呢？”

东州对出神地看着硕志和允婷的小瑜说道。小瑜轻轻地笑了一下，认同地点点头。

“我是真的第一次这么近看女生的脸耶！”

感到不大好意思的东州红着脸说道，小瑜听了也立刻害羞得满脸通红。

“好了，再来一次！”

老师大力地击掌催促大家。

继续跟东州对望的小瑜，心脏扑通扑通地跳，跳得非常猛烈。

“哇，我现在才发现你的眼睛很大哦！”

东州轻轻地笑了一下。

“真的可以发现到朋友身上我平常没有注意过的地方耶！你觉得呢？”

小瑜害羞地点点头。

“好，现在开始进行掌力比赛吧？预备，开始！”

听到老师的口令，孩子们为了保持身体重心，拼命把掌心的力量推向对方，所以个个身子都摇摇晃晃的。啪啪！和东州经过几次使劲击掌的动作之后，小瑜还是失去了重心，脚跟移动了一下。

“哈，我赢了！”

接二连三地传来获胜者兴奋的欢呼声。

“好，这次，大家换新的对手再比一次！”

东州的对象换成了珍珍，而祯祥则是难为情地搔着头站到小瑜面前。其他的人，像是硕志对俊英、娴雅对芳荷，这次又展开一场激烈的争夺战。

比刚才稍微感到自在的小瑜，试着直视祯祥的眼睛。虽然有着圆滚滚的体型，仔细一看，其实祯祥是一个长相可爱的小男生。祯祥好像看出了小瑜的心思，表情有些不自在地吐了吐舌头扮鬼脸。

“好，再往旁边移动！”

这次，换成硕志站到小瑜面前来。硕志一站到小瑜面前便装出猴子的表情，惹得小瑜只好想办法拼命地忍住不笑。

（你一定是因为觉得很不好意思被我盯着看才要这

样搞笑的，对不对？）

不知不觉中，小瑜也开始在揣测对方的心思。

最后，俊英站在小瑜面前，东州则是站在芳荷面前。

“终于见面啰！”

传来芳荷说话的声音，小瑜立刻往芳荷的方向瞄了一眼。芳荷灿烂地笑着跟东州面对面，东州似乎也不排斥回以亲切的笑容。看着这样的情形，小瑜没来由地感到一阵心慌，心跳好像越来越加快，情绪好像变得有点烦躁起来。

“你们两个在谈情说爱啊？”

硕志揶揄地说着，芳荷立刻回敬一个不屑的眼神。

“好了，下一个我们来玩不眨眼的游戏吧？”

“耶！”

孩子们一阵欢呼，很高兴终于等到期盼已久的游戏。然而，对芳荷来说好像不太能接受的样子。从她脸上的表情不难看出，似乎是很不高兴老师在她好不容易等到机会的时候更换游戏。不过，当眼力游戏正式开始，芳荷立刻使出浑身解数，瞪着大大的眼睛盯着东州看。

相反的，一开始小瑜就败在瞪着眼睛直逼而来的俊英手里。

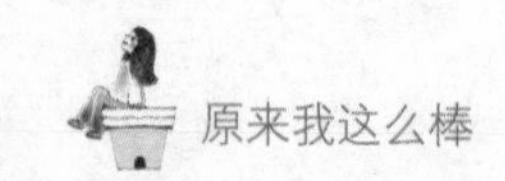

比起其他才开始就分输赢的队伍，东州和芳荷的大决战，激烈的局势难分轩轾。

“神力女超人最强！”

“徐东州加油！”

孩子们早已经分成男生女生各两路人马，站在一旁当起了芳荷跟东州的拉拉队。过了好一会儿，先眨眼的东州终于还是输了。

“我赢了！”

芳荷用充满血丝的眼睛望着东州，忍不住露出得意的笑容。

“怎么样，你们现在应该不会觉得和朋友面对面是很困难的事了吧？”

老师说着，手轻轻搭在小瑜的肩膀上。

“咦，这次 119 的脸怎么没有烧起来？”

俊英才刚这么说，所有人的视线就同时集中到小瑜身上。没想到小瑜像是忽然恢复记忆似的，立刻又害羞得满脸通红。

“这才像你嘛！”

一直到中午用餐时间之前，孩子们玩着各种游戏笑声此起彼落。

下午的活动是在斜坡上滑草。从陡峭的山坡坐着事先准备好的压克力雪橇一路滑下去，滑到最下面后，还得走过不容易步行的湿漉漉的草坪回到原地。

“呀呼！”

“我是第一名！”

“我先冲下去啰！”

争先恐后抢着滑下去的同时，即便彼此的雪橇撞在一起，大家也只是笑得更开心，根本没有谁会急着去计较对错。所有人不分你我，玩得不亦乐乎，开心到腿都发麻了还没有发觉。

当夕阳徐徐落下，结束滑草游戏的孩子们，三三两两地回到二楼的寝室。

“爱现大王！你刚才滑草的时候，一定有尿裤子对不对？”

见到走在前面、几乎以半蹲姿势爬楼梯的芳荷，俊英忍不住又趁机调侃。因为太过忘情地滑草以至于没发觉屁股发麻的芳荷，难受得整个五官皱在一起，朝俊英晃了一下拳头。

“你敢再闹我就试试看，哼！我不会放过你的！”

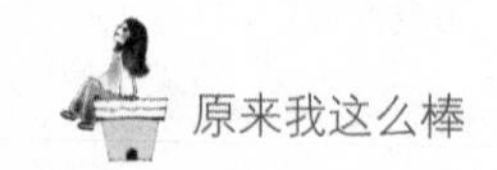

“不放过我你能怎样！难不成你要一扭一扭地追上来打我哦？”

硕志和俊英以迅雷不及掩耳的速度，顽皮地扯了一下芳荷的马尾,然后慌忙地逃之夭夭。

“你们最好是别被我抓到！”

“硕志和俊英大概很喜欢你哦！男生就是这样,不敢跟自己喜欢的女生说话,就故意闹人家。”

东州从背后拍了一下芳荷的肩膀。

“你在说谁喜欢谁啊？”

芳荷生气地瞪了东州一眼，东州一时之间被瞪得有些无辜，只好笑一笑耸耸肩回男生的房间。芳荷满脸通红地原地站了好一会儿,然后好似做了什么重大的决定,冷不防地推开东州刚才走进去的房间的门。

“妈妈咪呀！”

正要脱下湿上衣的男孩们,惊呼一声乱成一团。

“哎哟,搞什么！不会觉得不好意思哦,你怎么可以随随便便就打开男生房间的门啊？”

男生们生气地斥责芳荷。

“徐东州！我有话跟你说！”

芳荷一点也不在意大家的责难，一意孤行地把东州叫到外面去。

“什么事？”

东州纳闷地搔着头，有些犹豫地走到房门外。

“我，觉得你很不错。我想跟你交往。你，觉得我怎么样？”

芳荷十分认真地问道。

“哦……这个嘛……”

“哇！”

男孩们一窝蜂地聚集在敞开的房门口，瞎起哄地高声欢呼。

“喂！你应该先去把尿湿的裤子换掉才对！”

“对啊！没有男生会愿意接受尿裤子女生的告白啦！”

本来逃之夭夭的硕志和俊英，不知何时又跑回来夹在人群当中嬉闹。

“徐东州！快点告诉我你的决定。”

完全不在意旁边围观的其他人，芳荷坚定地看着东州。东州紧闭着嘴唇面有难色。

“回答她！回答她！”

孩子们催促东州赶快回应。

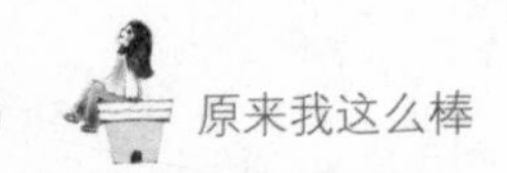

夹在一群人中间观望这情景的小瑜心跳十分剧烈。不行,不行!小瑜不自觉地双手合十,紧张地等待东州开口说话。

“芳荷,我们可不可以当好朋友就好?”

“啊?为什么?我有那么差吗?”

“不是,你很棒。”

“那是为什么?难不成你已经有喜欢的人了?”

“我比较喜欢跟你当好朋友。”

芳荷紧握的手微微颤抖。

“你说什么?”

“我们比较适合当好朋友。”

“我知道了。”

芳荷迅速转过身去,不想让别人看到因为被拒绝而涨红的脸庞。

“好丢脸哦!自以为是的神力女超人!这下子飞不起来啰!”

硕志和俊英隔着很远的距离,大声地取笑芳荷。

生气的芳荷猛然推开挡在门口的一群男孩子,气冲冲地跑回女生的房间。

“真的很没面子耶!女生主动跟男生告白,却在这么多人面前被拒绝！”

“啊，换作是我可能去跳河了吧！”

女孩们露出同情的表情，交头接耳小声地说道。

小瑜也不时以同情的目光看着芳荷的背影。不过，说来奇怪，小瑜的心情这时反而感到有些安心。

（呼，好险！）

小瑜有些讶异自己怎么会有这样的心情。

小瑜的自信心训练术

看着对方的眼睛！

和别人谈话的时候若是眼睛不正视对方，那么对方就无法对我们留下好印象。

也许，以后和对方见面的时候双方可能都会感到不自在。

不妨试着训练自己多正视别人的眼睛。

当然，一开始一定会觉得很不好意思。但是，当你试着正视对方的眼睛说话、微笑的时候，慢慢地就能克服心里的恐惧了。

不论对方是男生还是女生，你应该试着持续地看着对方的眼睛。

有没有觉得彼此之间的距离又更拉近了一些呢？

给缺乏自信的你：

失败总是让人感到烦躁，给人不好的感受。
但是，把失败当借镜然后成功的那种喜悦，
小瑜你一定比谁都了解这种感觉，对不对？
老师很希望你能把当时那样的喜悦感受牢记在心底。
另外，老师要补充一件事，那就是希望你要相信自己！
对于你所确信的事情，尤其要记得抱持自信的态度。因为，相信自己而来的成功，那样的喜悦是无与伦比的。
啊，身为老师的我看着你每天进步一点点，心里真是开心极了！
高小瑜，加油啊！

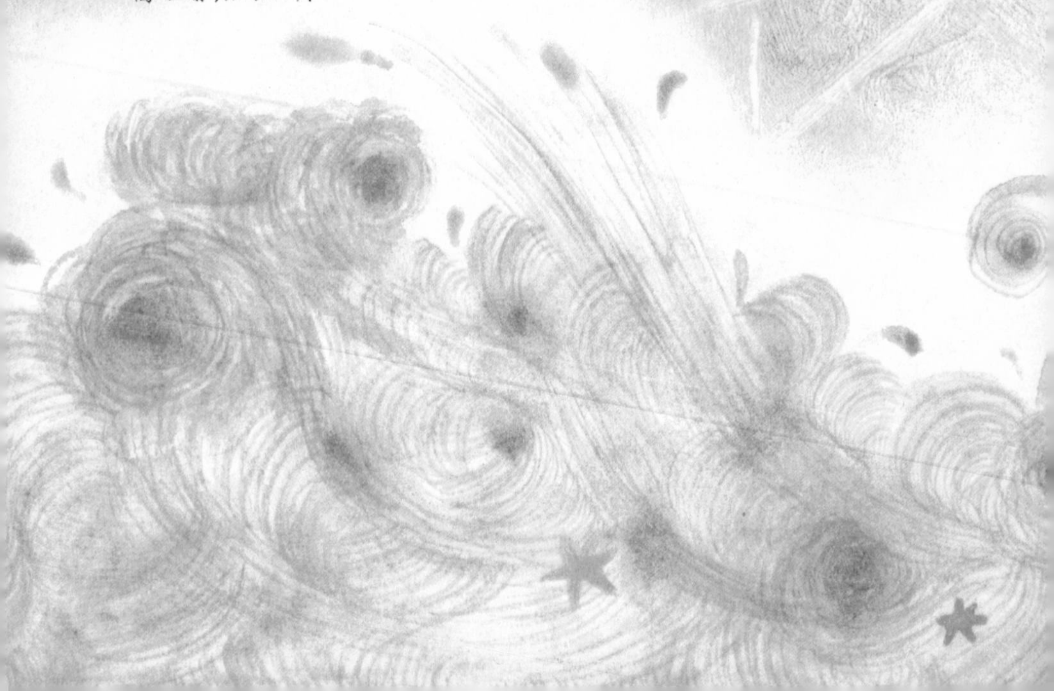

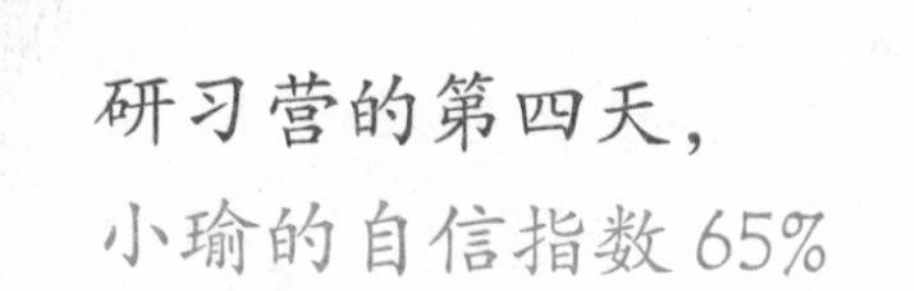
研习营的第四天，
小瑜的自信指数 65%

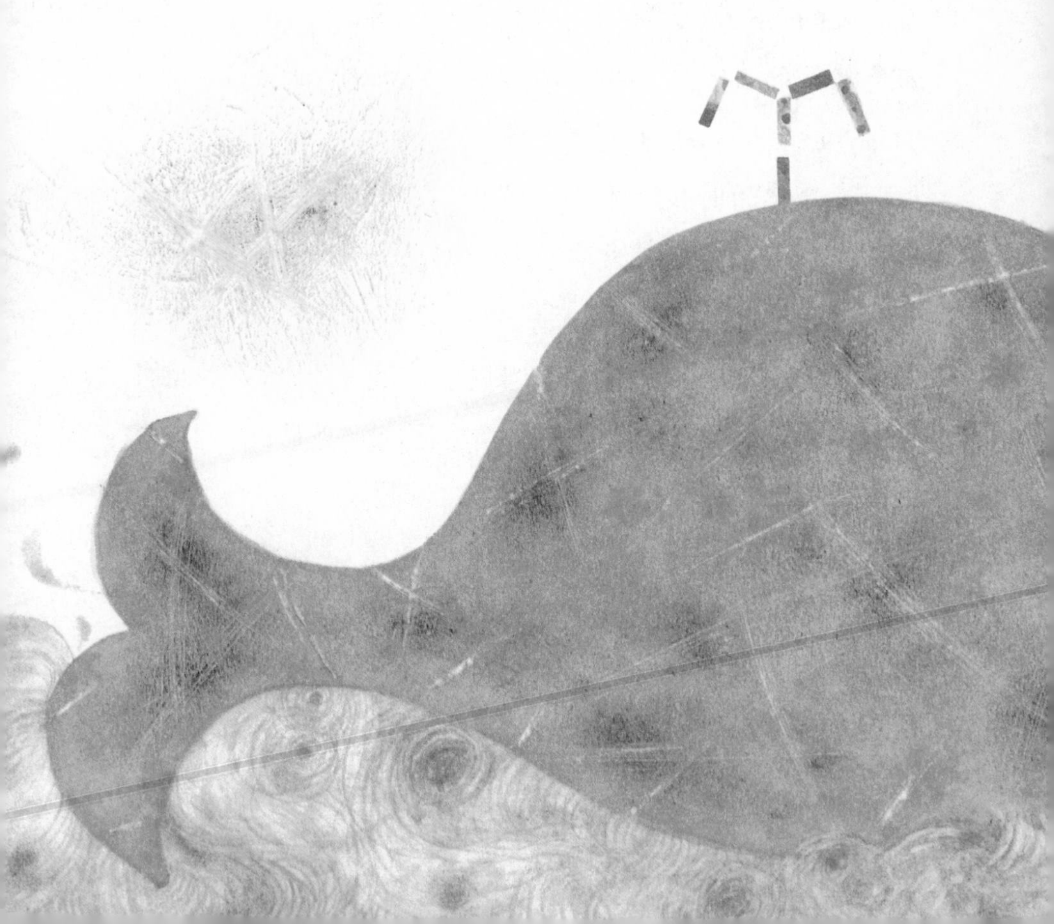

不过是一个小小的失误，你何必把问题看得那么严重呢？别的同学也都犯过同样的错误啊！

又响起一阵骨牌倒下去的声音，随后传来一个男生满是怒气的声音。

“哎哟，小心一点行不行啊？”

排骨牌的时候只要稍一不小心，就会啪啦啦全部毁于一旦，所有的辛苦就会付诸流水。如果用骨牌很顺利地排列出自己的名字，然后一口气推倒的那一刻，礼堂里就会充满和乐融融的气氛。可是，当大家聚精会神地各自排列自己名字的时候，不知不觉神经就会紧绷，变得容易发怒。

小瑜也是同样的情况。稍早的时候本来以为大功告成，没想到还是又弄砸了一次。最后一个拿在手里的骨牌没有拿稳，原先已经排好的骨牌就瞬间全部倒掉。这一回合，小瑜已经是第五次从头开始排列骨牌，她用颤抖的手战战兢兢地排好最后一个骨牌。

“呼。”

小瑜放心地吐了一口气，然后几乎是整个人瘫软坐到地上。

“啊！”

那一刹那，从小瑜的背后传来惊叫声。小瑜大吃一惊转过身来，看见芳荷排列的骨牌“哗啦啦”，以令人措手不及的速度倒下去。一时之间，小瑜不知道该怎么办。周围其他的孩子都应声望向这里，芳荷的脸一阵红一阵白气得说不出话来。

“对不起！我忘了你在我后面。”

小瑜惊慌失措地连忙道歉。

此刻，芳荷就像快要爆发的原子弹。

“真的很对不起。”

小瑜不知道这个时候能说什么。小瑜自己也非常地清楚，看见费尽千辛万苦排列的骨牌毫无预警地倒下去，只能束手无策地听着那令人无奈的清脆声响，是种什么样的心情。更何况，她不小心毁了的不是自己，而是别人的心血。小瑜对于总是把事情搞砸的自己，感到无比沮丧。

“对不起，我帮你重新排过。我来帮你。”

小瑜慌忙地整理起芳荷前功尽弃的骨牌。

“不必。”

芳荷粗暴地推开蹲在地上正要开始排列骨牌的小瑜，被推开的小瑜一时失了重心跌坐在地。还来不及反应的时候，小瑜的骨牌也瞬间瓦解，应声而倒。

“啊，真是快被气死了！”

慌张的芳荷丢下这句话，说是要去上洗手间，便跑出去了。

“学姐。”

珍珍靠过来默默地握住小瑜的手。

小瑜虽然感到不知所措，但还是很努力地隐藏情绪，勉强挤出笑容。

“我没关系啦，大不了再排一次。”

“是啊，重新再排一次而已，没什么的。自己的骨牌已经弄好的人，一起来帮忙把这里的骨牌弄起来吧！”

东州过来开始帮忙整理

散乱一地的骨牌。

“排列骨牌真的很辛苦,对不对? 这完全是在考验我们的耐性啊!”

见东州动作夸张叫苦连天的样子，情绪紧张的孩子们看了都忍不住笑出来。拼命忍住不哭的小瑜，虽然眼眶里盈满了泪水,也跟着扑哧笑出来。

“哎哟,高小瑜! 又哭又笑,你会不会精神分裂啊?”

硕志和俊英忙着消遣别人的时候，一不小心把他们自己立好的骨牌也全部推倒了。

“哇啊! 这下完蛋了!”

吃午餐时,大概是因为排骨牌的时候太紧张的关系,小瑜实在没什么胃口。看着面前平时自己最喜欢的咖喱饭,也只是有一搭没一搭地送进嘴里。

“学姐你怎么了,很难吃吗?”

已经吃掉差不多半碗饭的珍珍,忧心地看着小瑜。

“为什么我老是什么事都做不好? 早就知道会这样,我才会那么不愿意来参加的。”

小瑜叹了一口气。

“并不是只有学姐你做不好啊,刚才我看到有很多人,也都不是一次就成功地把骨牌立起来。大家都很体谅别人，没有人在吵架，就只有芳荷学姐那么凶，真过分。依我看，一定是为了昨天对东州学长告白被拒绝的事，大概是心里觉得很受伤吧！”

珍珍在一旁嘀嘀咕咕地说着。

小瑜从昨晚就一直想着大发脾气的芳荷。当着大家的面表现得一点事都没有的芳荷，一回到房间就开始放声大哭了起来。任大家怎么安慰都没有用。团体影片欣赏时间，芳荷也是自己一个人躲在房间里，什么事都不愿意做。

“徐东州，该不会是学校里有喜欢的人吧？”

整个人躲进棉被里的芳荷，睡着之前小声地问小瑜。

“应该……还没有吧？”

小瑜照实说出自己知道的情况。

“那是为什么？为什么要拒绝我这样的万人迷？他到底在暗恋哪一个女生啊？”芳荷不甘心地说。

“就是说啊！会是谁啊？真的好想知道哦！”

女生们并排躺在一起七嘴八舌地猜测，东州那个神秘的女朋友究竟是谁。每当有人说出自己想到的名字，芳荷就暴跳如雷地直说不可能。所有的人都感觉得出来，她还是一直很在意那天发生的事情。

“还在为了骨牌的事情在难过吗？”

东州气定神闲地在对面的椅子上坐下来。

“其实也没什么啊，你不用把那件事情放在心里这么久啦！所有人都差不多，还不都一样重来很多次。”

“呼，我就是不想要这样才不愿意来的。结果跟我自己想象的一模一样。唉！”

小瑜放下手上的汤匙，无精打采地喃喃自语。

“不过是一个小小的失误，你何必把问题看得那么严重呢？别的同学也都犯过同样的错误啊！而且，不会犯错的人哪里是人啊？是神才对。公民与道德课本里面也有说啊，说每一个人都是从错误中学习成长的。不是吗？刚才你的骨牌被推倒的时候，你的心里面一定有提醒过自己要更小心、要更专心。你以为这种领悟是平白无故就能赚到吗？虽然失误让人难受，不过，还是有它值得的地方。”

看得出是想要安慰小瑜的东州，一坐下来就晓以大义一番。

“可是……不管怎么说，我想你一定没有烦恼吧？你做什么事情都那么厉害，个性又乐观。”

“我哪有？”

听小瑜这么一说，东州难为情地笑了起来。

“喂，快吃，快吃！吃进肚子里就是自己的了。下午还有活动，要吃饱才行哦！嘿，加油！”

“噢，我最喜欢爱吃的男生了。”

在一旁静静旁观的珍珍，嘿嘿嘿地偷笑了一下，又继续低头吃饭。

（是啊，犯错是难免的嘛！下一堂课开始我要更小心，不要再给别人添麻烦了。）

小瑜这才感到心情稍微平复，拿起汤匙开始吃饭。

“想踢足球的人，等一下到操场集合！”

听到站在餐厅入口召集足球队员的男生在吆喝，东州立刻站起来。

“我先走啰！你们慢慢吃！喂，我也要玩，我也去！”

东州急急忙忙地跑了出去。

“东州学长一定是个生活态度很正面的男生，学姐你说呢？如果有东州学长在身边常常对我说不要难过、你一定可以做得很好之类鼓励的话，我觉得自己不管做什么都可以表现得很好耶！”

珍珍目送东州跑出去的背影喃喃自语。

“就是说啊！”

小瑜心有同感地附和珍珍的说法。

“原来如此啊？她就是徐东州喜欢的女生？”

芳荷跟允婷还有娴雅三人早已经站在小瑜的身后，语带不屑地刻意提高嗓门在说话。

“你们有没有觉得她很假惺惺啊？一副楚楚可怜、弱不禁风的样子，原来心机比谁都重耶，哼！”

“你们不要这么说嘛！这样误会人家不大好吧？”

芳荷装模作样地责怪允婷跟娴雅。

“这种事有必要非得听本人亲口说吗？我们可是看得很清楚呢！”

“你们为什么要这样说我？”

小瑜畏畏缩缩地问道。

“那好，就让你自己说吧！你该不是喜欢徐东州吧？”芳荷不屑地问。

“哈！一定是看到东州学长对小瑜学姐很亲切，你们觉得妒忌就想找我们麻烦，对不对？”珍珍抢着说道。

“喂，你这小不点闪开一点啦！我们不是在跟你说话！高小瑜，你快点说。对，还是不对？”

芳荷冷冷地持续逼问。

像是藏在心底的秘密被别人发现了似的，小瑜的心脏猛烈地跳动。

“没有，真的没有。”

小瑜紧张地猛吞口水。

“什么没有！为了让徐东州注意你，就假装很柔弱，伤心地哭，装出一副什么都不会的样子！你真的很会演戏耶！”娴雅怒目相向。

“我没有，我没有假装！”

小瑜感到委屈，几乎要掉下眼泪。

“哎哟，真是的！就算真的有那又怎么样？你们那么羡慕，那就自己去想办法引起人家的注意不就好了！”

“喂，小不点你安静一点可以吗？”

允婷用力在珍珍的头上敲了一记。

“哎呀！干吗打人家的头啦！啧！就算人家真的有喜欢又怎样？难道东州学长是你们专属的，别人都不能碰吗？”

珍珍摸一摸头上被打痛的部位，不甘示弱地嘟囔着。

“真的没有？高小瑜，你确定真的没有喜欢他吗？”

芳荷这么一问，小瑜只好硬生生地点点头。

“那好吧，我暂时相信你。不过你，你要为自己说过的话负责任哦！知道吗？”

芳荷意有所指地说完便转身离去。

看见芳荷离开，小瑜于是松了一口气，好像顿时放下了压在心里的石头。

傍晚时分，礼堂里从下午就持续进行的分组抢答即将接近尾声。大家为了不错过任何一个题目而竖起耳朵全神贯注。

“接下来是人名的抢答。”

孩子们望着老师的眼睛格外地闪闪发亮。

“这个人是世界知名的物理学家。小时候，当他有一天在书桌前写着自己对宇宙的想法时忽然晕倒，从此以后直到现在他都必须靠轮椅才能行动。他罹患了稀有的‘肌肉萎缩性侧索硬化症’却不绝望，后来还发现了‘黑洞’的存在，震惊了全世界。他向全人类证明了即使行动不便，任何困难也阻止不了他实现自己的梦想。好，请问有谁知道这个人叫什么名字？”

各队的孩子们彼此交头接耳，十分慎重地讨论答案。

小瑜这一队也不例外。

“啊，是那个戴眼镜，脖子老是歪歪的外国博士。我想不起来他叫什么名字！霍……霍什么的！”

不管怎么用力地想就是想不出来，俊英急得直跳脚。

“我也记得是叫霍什么的。”

小瑜也一样因为想不出这位物理学家的全名而焦急。

“一群笨蛋，是史蒂芬·霍金啦！”

芳荷不耐烦地说道。

“啊，对了！就是史蒂芬·霍金！”

东州大大地写下芳荷刚才的答案。

“嘿嘿，要是这次答对了，我们就跟第一队同分了，对不对？”

硕志兴奋不已地说道。

“那是当然啰！真希望第一队答错了才好。”

“一定不可能答对的。嘿！我们一定要赢！知道吧？”

俊英情绪激昂地紧握着手。

“好的，请各位把答案举起来吧？”

所有的人自信满满地高举自己的答案。

“正确解答是……爱因斯坦……才怪。答案是史蒂芬·霍金！”

欢呼声和失望的叹息声此起彼落。

“哇！我们答对了！只有我们这一队答对了！”

包括小瑜在内,第三队的成员都开心地蹦跳不已。

“以目前的局面来看，第三组和第一组是同分，同时领先其他的队伍哦。那么,下一道题目可就是关键题,就要分出真正的第一名了呢！”

营长兴致勃勃地说道。

“快点出下一道题目！历史题！历史题！”

孩子们异口同声地催促老师出题。

“好的！最后一道题目！朝鲜时期,英祖大王有一天选王妃的时候，召集了众多大家闺秀出了一道题目。世界上最美味的是哪一种食物和最美丽的花是哪一种花！好,问题来啰！这天被英祖选中的定顺王后所回答的,世界上最美味的食物和最美丽的花各是什么？”

“啊！这个我知道答案！”

芳荷不跟其他的队员讨论，一下子就抢过东州手上的答案板写下答案。

盐巴　牡丹

“喂，你确定是这个吗？这次要是错了，我们就拿不到第一名了！”

俊英忧心忡忡地说道。

“我确定！我以前在一本书上看过这个故事。”

（不是这个啊！）

小瑜肯定芳荷写的答案是不对的。盐巴是对了，可是，定顺王后所说的世界上最美丽的花并不是牡丹花，而是木棉花。小瑜很清楚记得，那次看故事书的时候，因为不知道木棉花是哪一种花，而特别问过妈妈。

“应该是木棉花才对……”

小瑜喃喃自语。

“啊？木棉花？”一旁的东州听到小瑜在喃喃自语，便急忙问道。

小瑜点点头。

“芳荷，小瑜说木棉花才正确，你确定你的答案是对的吗？”

“啊？”芳荷露出狐疑的表情皱着眉头。

“高小瑜！你确定是木棉花吗？”

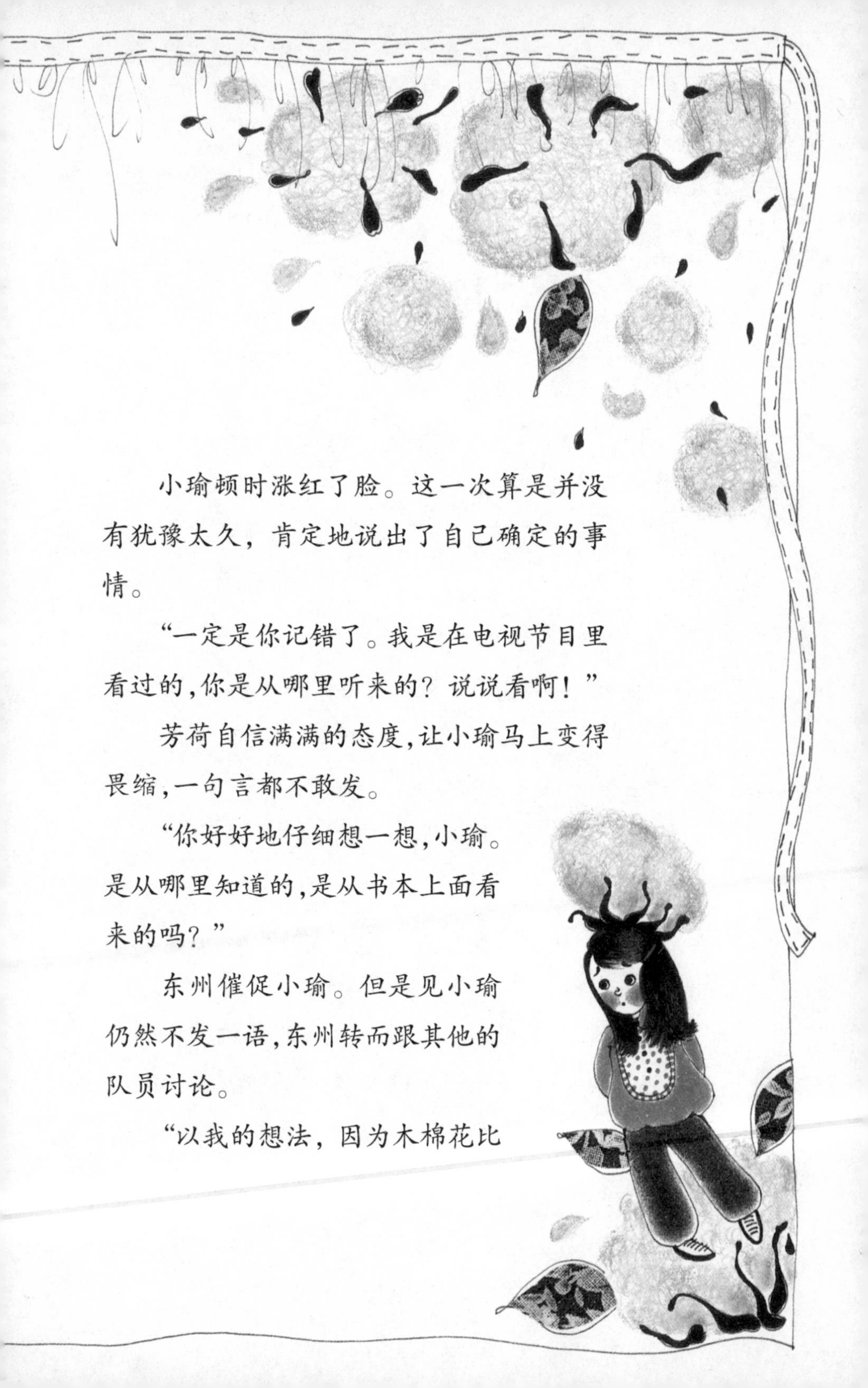

小瑜顿时涨红了脸。这一次算是并没有犹豫太久，肯定地说出了自己确定的事情。

“一定是你记错了。我是在电视节目里看过的,你是从哪里听来的？说说看啊！”

芳荷自信满满的态度,让小瑜马上变得畏缩,一句言都不敢发。

“你好好地仔细想一想,小瑜。是从哪里知道的,是从书本上面看来的吗？”

东州催促小瑜。但是见小瑜仍然不发一语,东州转而跟其他的队员讨论。

“以我的想法，因为木棉花比

牡丹花用途更广泛，所以我猜或许英祖比较喜欢木棉花吧！你们大家的想法怎么样？”

然而,其他的孩子们都倒向芳荷自信十足的答案。

“大概是我记错了。”

小瑜怯生生地说道。

“啧,不知道就不要装懂嘛！”

娴雅不满地嘟囔一番。

芳荷轻蔑地笑了一下，毫不迟疑地高高举起自己写的答案。

“咦？第一组写的是木棉花！”

“答案真是木棉花的话怎么办啊？”

俊英和硕志在一旁大呼小叫地急躁不已。

“我的答案一定不会错的！”

直到最后关头芳荷还是坚持自己的答案。

“正确答案是……”

老师的声音让所有人屏息以待，孩子们紧张到最高点,等待老师揭晓答案。

“正确答案是,盐巴和木棉花！第一队答对了！”

第一队所有的队员像是中了乐透彩，开心不已地互相拥抱。然而，第三队的气氛却是正好相反。所有的人都在唉声叹气，简直是愁云惨雾。

“哎，真是的！你还说错不了！郑芳荷，你到底有没有记错啊？”

俊英率先对芳荷发难。

小瑜很开心自己知道的答案竟然是对的，另一方面也觉得有一点尴尬。

“高小瑜，你既然知道自己的答案是对的，那就不管谁反对，都应该要坚持到底的啊！”

芳荷冷不防地大叫。

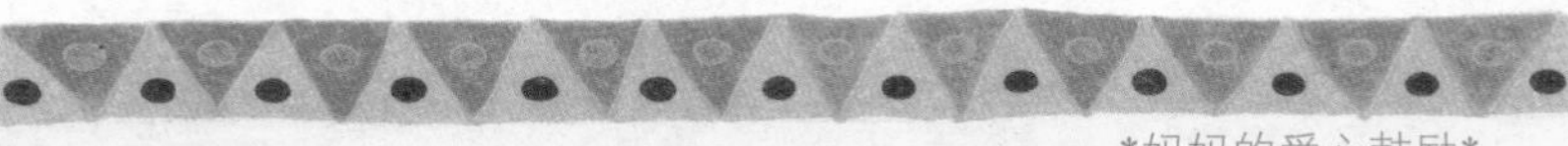

妈妈的爱心鼓励

抬头挺胸

人在意志消沉的时候会不由自主肩膀无力，整个人会变得畏畏缩缩。

这个时候请以“抬头挺胸”这句话来鼓励自己。

正确的姿势让人心情愉悦，不自觉会充满自信。

看见我们过于拘谨、畏缩的时候，请一定要用这句话来给予我们鼓励。

鼓励我们要“抬头挺胸”！

小瑜受到过度的惊吓，跌跌撞撞地摸索走到门边。可是不知道是怎么一回事，门竟然打不开。
扑通扑通，心脏就好像快要蹦出来似的狂跳不已。

“拱手！”

跟着老师的口令，小瑜双手合十放在肚脐的高度。

“行大礼！我说过行大礼的时候，哪一只手要在上面？”

小瑜顿时难为情地涨红了脸，因为老师的视线正好在盯着小瑜看。小瑜心里想是不是自己又弄错了什么，赶紧迅速地检视一下双手摆放的位置。右手要放在左手上面，并没有弄错。小瑜偷偷往旁边瞄了一眼，老师在帮小瑜旁边的珍珍校正她拱手的方式。

“要记住哦！这一辈子都要记得右手要在上面，知道吗？”

“好。”

“好，接下来听我口令，我喊一就把左脚向后移，二的时候把膝盖弯下去！很好，行礼。小心手不能着地哦，一、二！”

小瑜依照老师的教法练习恭敬地行大礼。

“右脚先起来，然后把手放在肚脐的位置，行礼。很好！”

小瑜松了一口气。

“大家都做得很好，这当中小瑜的表现最像新娘一样很恭敬又端庄呢！长大以后嫁了人，婆家一定很疼你哦！到时候可别忘了我这个老师的功劳啊，知道吗？”

意外的称赞让小瑜羞红了脸，并且露出灿烂的笑容。珍珍也开心地笑着望着小瑜，竖起了大拇指以示肯定。

晚餐之后接着是一连串的礼仪训练，小瑜感觉到许久没有过的轻松愉快。因为学习每一种新的礼节，像行大礼、茶道、电话礼仪等等，虽然都很紧张，却都得到了老师的赞美。每当老师给予大力的肯定，小瑜就会想要表现得更好些。于是，小瑜的心情就像气球一样，一点一点地膨胀起来，感觉像是要飞上天。

（如果妈妈见到现在的我，一定会很开心吧？东州也会替我高兴吧？）

小瑜觉得很可惜没让东州看见自己难得表现好、受到称赞的样子，都怪老师把男生女生的礼仪课分开来上。

“好，可以起身！”

说时迟那时快，娟娟失去重心，整个人往旁边跌倒。连带的娴雅也摇摇晃晃，芳荷也跟着失去重心，两个人就像骨牌一样相继跌坐在地。

“哎哟！柳娟娟！你的屁股该减肥了啦！你看你把我们害成什么样子了？”

娴雅不高兴地咕哝着站起来，芳荷同样也看起来不太高兴。

“喂，干吗随便做人身攻击啊？人家的腿麻了嘛！”

娟娟一脸无辜地替自己辩解。

“真是不用心耶！行大礼的时候要专心致志才行。你们刚刚一定是在想其他的事对不对？难怪你们会站不稳，跌得乱七八糟！”

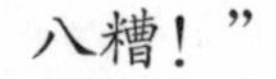

老师听到声音后走了过来，随即咚咚咚地敲了三个人的头。

“我没有想其他的事情啦，老师！”

娟娟、娴雅和芳荷，三个人一脸委屈地噘着嘴。看到这副景象的小瑜觉得很好笑，忍不住扑哧地笑出来。芳荷见状立刻瞪了一眼，小瑜便赶紧收起笑容。

“好，等研习营结束回到家里，可别再像以前那样了。跟爸爸妈妈打招呼的时候身体不要太僵硬，也不可以随便点个头就敷衍了事，记得要像今天上的课，先拱手，然后像新娘一样恭敬地行大礼，懂吗？打从你们出生开始一直到现在，父母亲对你们极尽地呵护和照顾，想必你们应该是从来也没有向他们表达过感谢吧？一定记得要学以致用！而且，记住要带着感恩的心情。尽孝道不是什么困难的事情，从生活中的小动作开始做起就是一种孝顺的表现！”

老师没注意到时间已经过了很久，浑然忘我地发表她的孝道理论。

“那么，结束之前大家一起再练习一次行大礼，这堂课就可以结束了。待一会下课之后，各自回到房间写一封给父母亲的信，然后交到老师这边来。”

回到房间的允婷跟娟娟，一面用手按摩又酸又麻的腿，一面嘴里不停嘟囔着。

“你们不知道我有多么庆幸自己没有生在古代呢！”

“对啊！不就是见到人点个头打招呼就是了嘛，行什么大礼啊？拜托，丑丑的萝卜腿千万不要出现啊！”

“不过，我觉得回到家里如果也能这样向妈妈行大礼的话，妈妈一定会很开心的。”

珍珍小声地说道。

“喂，小不点！你可以安静一点吗？”

“老是叫人家小不点，小不点的。其实也不过就是比学姐你们小两岁而已……啧！”

珍珍啧了一下舌头。

“对啊！就像珍珍说的，今天学了这么多礼仪，今年过年我如果跟爷爷奶奶行大礼，他们一定会很开心的，我觉得今年应该可以比去年拿到更多的压岁钱吧！”

小瑜看着珍珍说道。

“高小瑜！你别以为今天老师都称赞你一个人，就自以为了不起好吗？”

芳荷对小瑜冷嘲热讽一番。

“我没有，你误会我了。”

小瑜心想或许可以顺便解释一下刚才在礼仪课上芳荷误会自己笑她的事，于是很自然地朝芳荷走过去。

“芳荷，刚才上课的时候我并不是在取笑你。”

“什么？刚才我们跌倒的时候，你明明就在嘲笑我们，还不承认？”娟娟不高兴地瞪了小瑜一眼。

“你不知道吗？你都不知道她那样子有多气人，好像今天她被称赞有多了不起似的。我想，她一定觉得看我们跌倒很可笑吧？”

“不是啦！事情不是那样的！我只是本来上课上得很紧张，因为你们跌倒，我才稍微有一点放松，才会笑出来的。只是这样而已。”

对于芳荷的指责,不知所措的小瑜支支吾吾地说道。

“你不是觉得我们很可笑?”

“不是,我绝对没有那样想过。”

越是受到对方的误解,小瑜就越觉得心里难受。

“你一天到晚只会说不是啦、不是的。她啊,跟徐东州的事也是这样在大家面前装无辜,我看她是百分之一百假惺惺的高手吧?我们不要理她了!”

在一旁写信给父母亲的允婷刻薄地说道。

“哭什么啊?这里有谁欺负你了?别人还以为我们是坏孩子在欺负你呢!懒得理你,算了!”

芳荷冷冷地转身离开房间,娟娟也跟着走出去了。刹那间,房间里只剩下沉重的气氛。

小瑜紧闭着嘴唇,擦干脸上的眼泪,拿起笔开始写信给爸爸妈妈。

妈妈!

来参加研习营已经过了第四天了。

今天我们上了礼仪课。

老师称赞我,说我行大礼的姿势很正确。

回家以后我会让爸爸妈妈看看我行大礼的样子。

我在这里跟同学们相处得很好。

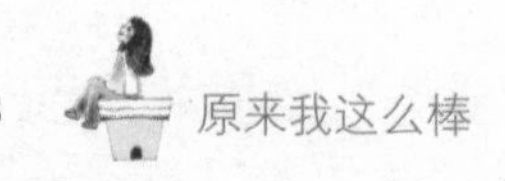

小瑜停下手上的笔,眼泪扑簌簌地掉下来。

珍珍默默地抽了一张面纸,体贴地放在小瑜手上。

负责把大家写给父母亲的信收齐交到老师桌上的芳荷,一回到房间便直指珍珍说道:

“珍珍,老师要你到教务处去。”

“有事吗?”

珍珍一头雾水地问道。

“听老师说,好像你妈妈寄了什么东西给你吧?”

“真的吗?”

一听是自己的妈妈,珍珍的笑容像灿烂绽放的一朵花,急急忙忙把运动鞋当拖鞋穿就往教务处奔跑而去。

“还有高小瑜!老师要你到三楼的资料室。”

“啊?为什么要我到三楼啊?”

一旁的娟娟斜睨了一眼小瑜说道。

“老师应该是找你有事情吧!”

“哦,那我知道了。”

小瑜慢条斯理地起身。

走廊上已经亮起一盏盏的照明灯,其他房间里说话的声音从紧闭的门扇间传出来。其中几个房间里大家似乎是在玩游戏,时而可以听见捧腹大笑的声音。

（要是我也能像他们这样，跟同房的室友相处得自在又愉快，那该有多好。）

小瑜无奈地想着。

三楼的走廊一片昏暗，唯一的光线是从走廊尽头那间资料室透出来的，惨白而微弱。

小瑜不敢再向前走。昏暗的走廊笼罩着一种下一秒钟仿佛就会有鬼魂从某个角落突然出现的气氛。

（老师为什么把我叫来这么阴森的地方呢？）

小瑜犹豫了许久，最终还是鼓起勇气，几乎是用跑的，三步并作两步地走向资料室。小瑜的脚步声从昏暗的走廊这一头传到走廊的另一头。

小瑜忘了要先敲门的礼貌，慌张地冲进去并且砰的一声关上门，生怕突然有什么东西拉住后脚跟似的。但是，资料室里没有人。只有亮晃晃的灯光照亮着空荡荡的室内。

（是我早来了吗？）

小瑜疑惑地看了看四周。

资料室里堆满了很多研习营课程要用到的教具。另外，由于以前是作为实验室用途，一旁的储柜里陈列了装着青蛙和鱼类解剖标本的玻璃瓶以及各式各样的实验器材。最里面的一处角落里，还摆放了一具比小瑜还要高的大型人体解剖模型，光是这一具骷髅，就足以让人毛骨悚然。

“啪！”

突然之间，天花板上的日光灯骤然熄灭，资料室里瞬间陷入漆黑一片，可怕至极。小瑜受到过度的惊吓，跌跌撞撞地摸索着走到门边。可是不知道是怎么一回事，门竟然打不开。扑通扑通，心脏就快要蹦出来似的狂跳不已。

“帮我开开门啊！外面有没有人啊？”

小瑜焦急地用力敲打门板。然而，听不到门外有任何的声音。

“老师！老师！”

过了好一阵子，听到门外有脚步逐渐靠近的声音。

“老师你在外面吗？老师？”

门外没有任何人回答，只有持续而规律的脚步踩在木板上哐哐作响的声音，好像有人在走近的声音越来越清楚。小瑜想尽办法从玻璃窗看到外面的走廊，走廊那一头好像有一团白色发光的某个东西在飘动。一瞬间，有一个念头闪过小瑜的脑海。

“你们有没有听说过？就是这里的三楼啊！每天一

到晚上，那里就有鬼魂出没哦！听说这间学校在废弃之前，四年级有个女生因为脚踩空了，不小心从资料室窗户摔到一楼去，有人说那个女生的鬼魂一直都没有离开过这间学校，经常在三楼那里出现耶！”

昨天吃晚餐的时候，不经意听见旁边有人提起这件事，孩子们一个个听得胆战心惊直发抖。可是，看见俊英和硕志调皮地学起鬼怪唬人的样子，所有的人都笑得前仆后仰，直到有人抗议嘴巴里面的饭粒快要喷出来了才平息。

那一刹那，小瑜从头到脚感到一阵阴冷，直打哆嗦。

“不会吧！”

小瑜蹲坐在门边，心里祈求着，希望门外正在靠近的那团不明火光赶快消失。然而，脚步声到了资料室门口便停住不再移动。小瑜全身冒起冷汗，紧张得猛吞口水。

门外透亮的火光似乎正从玻璃窗往里面窥看。

（上帝、佛祖、孔子爷爷、孟子爷爷、妈妈，回家以后我一定会乖乖听话。我再也不会不乖了，拜托让我活着离开这里啊！）

小瑜全身不停地颤抖，双手合十不断地祈求。然而，不管小瑜多么恳切地祈祷，只见门上的把手轻轻地转开，然后门便应声开启。当那团诡异的火光倏地飘进资料室里，小瑜吓得惨叫一声后便昏厥过去。

“同学，醒一醒啊！你怎么啦？快醒一醒啊！”

有人轻轻拍打小瑜的脸颊。她吃力地张开眼睛一看，原来是体育老师站在自己面前。

“清醒了吗？你还好吧？”

小瑜迅速坐起身看了看四周。

“时间这么晚了，你一个人在资料室里做什么呢？你的胆子还真大耶，你还好吧？”

“是老师要我来的啊……有人跟我说老师有事情要找我。是芳荷……告诉我的……”

小瑜情绪慌乱地讲了一大串。

“我的天啊！你们老师一直都在一楼的教务处啊！大概是你听错了，跑到这儿来的吧？”

老师同情地摸了一下小瑜的头。

“真的是芳荷告诉我的……”

“我们快下去吧！继续待在这里很容易着凉哦！”

老师说完便抬起一个大纸箱，发出哐哐的脚步声，往资料室最里面走去。此时，她看见老师的肩膀上有两个耳机在跟着摆动。

“学姐,你去哪里了? 我一直到处在找你耶!”

小瑜刚踏进房门,便见到珍珍一脸焦急的表情。

“就是说啊, 刚才看她不声不响地一个人走出去, 怎么现在才回来啊?”

“该不会是,趁着晚上偷跑出去跟徐东州约会了吧?”

听到允婷这么说,一旁的娟娟和芳荷一阵窃笑。

“郑芳荷! 刚刚明明是你告诉我说老师在三楼的资料室。”

小瑜强忍住眼泪,怒不可遏地看着芳荷。

“有吗? 何时? 我刚才只是说老师要找珍珍而已啊? 对不对,你们说?”

芳荷摆出一副不知情的样子。

“是你叫我到三楼的资料室,说老师在那里等我的。”

“你到底在说什么,我怎么都听不懂? 芳荷哪有这样说! 而且,大家都知道三楼闹鬼,你是不是疯了? 我看你悄悄溜出去,该不会是被鬼迷住了吧?”

娟娟和允婷都假装不知情。

“学姐, 她们在说什么啊? 你去了三楼? 那间资料室？”

不同于焦急的珍珍，娟娟和允婷、还有芳荷三个人都在极力地忍住想笑的冲动。

“不要再讲那些莫名其妙的话了。明天有野外求生训练，一定会很累的，我们该睡觉了。”

芳荷说着先拿出柜子里的棉被开始铺床。

“对了！高小瑜，有一封你爸爸妈妈写给你的信哦！我放在那边那个电话旁边。”

小瑜强忍住就要掉下来的眼泪把信打开。

我的女儿，高小瑜：

一切还好吗？

很担心送你去参加研习营是妈妈一厢情愿的想法，妈妈对不起你。

不过，妈妈相信我们家小瑜一切都能应付得很好，妈妈真的相信你。

不管有多辛苦、有多累，妈妈相信你一定可以带着自己的自信回家。

所以啰，不要哭，要加油哦！

爸爸妈妈还有 Cookie 都在为你加油打气呢！

我们爱你，小瑜。

妈妈的爱心鼓励

不是每一件事情都能够很顺利

当我们面临挫折的时候,或是因为不如意而意志消沉的时候,请用这句话来鼓励我们。

请告诉我们,事情不顺利或是遭遇失败的情形随时都可能要面对。

请鼓励我们,让我们不至于认为失败是只有我自己才有的悲伤。

这么一来,我们就能很快又重新找回自信了。

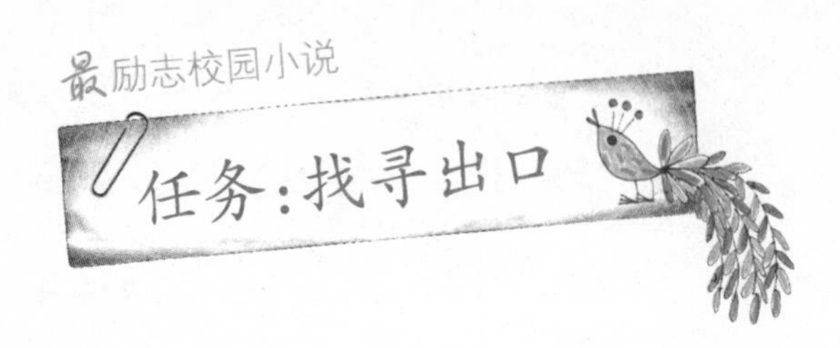

任务：找寻出口

不过，珍珍的脚那个样子，要走到什么时候才能回到营地啊！
等我们回去之后请老师来带她回去就好了，要不然，大家就真的别想在天黑之前回到营地了！

吃过午餐之后，老师领着第三组同学进入陌生的山林里。荒凉的风不断呼啸过枯槁的枝头，一群看来不太友善的鸟站在高大的树上不停地啼叫着，令人毛骨悚然。

“呜，怪可怕的！老师！你到底要带我们去哪里啊？”

俊英和硕志紧张兮兮地四下张望。

走了一段路之后，一行人来到地上立了一根蓝色旗子的定位点，老师便停下了脚步。

“好了，这里就是你们的出发点。现在把给你们的地图拿出来看一下，从上面可以看到你们要执行任务的地点，然后你们要把这个东西放在那里。希望你们每一队都能够发挥团结的力量找到出口，然后顺利地完成任务回到营地来。”

老师仔细地交代注意事项。

“啊？老师你只留给我们一张地图，就要走了吗？”

芳荷神情惊慌地望着老师。

“这里我们早已经安排好了救援小组，你们放心吧，一旦有状况，会有人来接应你们大家的。不过最好是不要有问题发生，老师希望你们能够靠自己的力量完成任务，平安回到营地。”

“可是老师，这个是什么东西啊？”

珍珍看见老师把一个背包递给东州，便好奇地问道。

“这是非常重要的东西，你们要小心带着，不能让里面的东西东倒西歪。懂吗？”

老师再一次耳提面命。

“老师，你看到我们就要万劫不复了，是不是觉得很有趣啊？你从刚才就一直在偷笑，好讨厌哦！”

爱抱怨的娴雅嘟囔地说道。

“我才没有呢！我天生就是这张笑眯眯的脸啦！”

话一说完，老师自己就忍不住扑哧地笑出来。

就在这时，东州的手按在右边的腰际上，痛苦地发出呻吟声。

“你怎么啦？哪里痛啊？”

小瑜端详了一下东州的脸，他脸色苍白，冷汗直冒。

“呃，有一点。”东州痛得无法说话。

“报告老师！东州好像很不舒服的样子。”

正在应付孩子们抱怨的老师，立刻赶过来检视东州的情况。

“哪里痛，是右边对吗？”

老师小力地压了一下东州的肚子。东州痛得忍不住“啊”地大叫一声。

“试着把腰挺直，有办法吗？”

东州试着照老师的话把腰挺直，可是立刻摇一摇头，整个人无力地瘫坐地上。

“我看这样不行。东州必须跟老师下山，先回营地去。”

老师试着扶东州站起来。

“可是！那我们怎么办！”

“对啊，队长不带队，叫我们自己怎么走啊？”

孩子们用不安的眼神看看老师又看看东州。

“你们还有副队长高小瑜啊！”

东州努力地挤出笑容看了看小瑜。

“高小瑜，你带队完成任务没问题吧？”

小瑜的心猛然一沉。上次当一日班长就已经吃尽了苦头，现在居然要她代替队长带队完成任务。小瑜不敢贸然答应，支支吾吾地欲言又止。东州好像很痛苦的样子，手按住肚子，忍不住又痛得蹲下去。

“小瑜，那就拜托你了。试试看好吗？我看这情形，我得送东州到医院去了。你们大家，可不要太依赖小瑜一个人哦！记得如果发生什么事情的话，大家一定要同心协力，知道吗？”

老师表情认真又严肃地征求孩子们的同意。

“好。”

孩子们回答的语气全然失去热情。

东州紧紧地握住老师的手后，整个人无力地靠在老师身上，由老师扶着往山下走去。

“真是的，这是哪门子的研习营啊？居然把一群小孩子丢在荒郊野外，叫他们自己看着办。万一迷路了谁该负责任啊？”

娴雅又是一阵抱怨。

“干吗老是讲那种负面的话啊？想办法做好就是了！”

俊英难得一本正经地数落娴雅。

“好吧，副队长！现在我们该怎么办，你来带队吧？”

芳荷用看好戏的表情望着小瑜。小瑜看着手里的地图，目不转睛地盯着地图上做记号的房子。

“我的想法是这样的——我听说山里面天黑得比较早，所以，我认为我们应该要加快动作，赶快完成任务然后回营地，要不然很可能会在这里迷路出不去了。”

“谁不知道啊？就是因为这样，我们才要问你应该怎么办啊！”芳荷酸溜溜地奚落小瑜。

“哦，对不起。我只是想说我们大家要团结而已。那么现在，我们必须先到达这间有记号的房子，你们有没有人会看地图的？”

“什么啊，原来你不是自己有能力，而是想靠别人帮忙完成任务，然后打算自己去领功是不是？”

芳荷怒气冲冲地说道，然后“啪”地一把抢过小瑜手上的地图。

“我看你那么没有信心，那就认命地跟着我走吧，凭你居然也想要强出头当副队长？”

小瑜站在一旁哑口无言。

“芳荷学姐，你为什么老是这样？为什么这么喜欢挖苦别人？每次都是学姐你的关系，小瑜学姐明明能做好的，就是听到这样的话才会变得不知所措的！”

珍珍实在看不惯芳荷的态度。

“小瑜学姐也一样，你为什么每次都是静静地任人骂呢？像个傻瓜似的！”珍珍声音哽咽地说道。

“哎哟！女生怎么都这么啰唆啊？真是吵死人了！我们快点出发了啦，天气好像已经在变了。”

俊英说着，把帽檐压得更低。芳荷摆出一副不屑理会的姿态，没有征询任何人的意见便大踏步地往前走去。

“高小瑜，你负责带这个背包，乖乖地跟在后面！”

芳荷胸有成竹地带领着众人前进。

第三组一行人顺着山路向前走。地上沿路零乱地丢着糖果和嚼过的口香糖，以及有人走过的脚印，应该是早已经来过这里的其他队伍留下的痕迹。

“走这里对不对啊？”

一路上不发一语的孩子们开始露出不安的眼神，东张西望地环顾四周。

“你不要说话好不好！都是你害我不知道该怎么走了。反正跟着我走就是了啦！”

芳荷拿起地图不断地研究路线，不耐烦地说道。

一行人好不容易走出山林，走到早已经结冰的荒凉的田野之中。虽然不像被困在山林里那般可怕，可是一眼望去还是一样不见人烟。就在这时，俊英指着前方大喊。

“啊！那里！那个不是地图上有记号的房子吗？”

“真的耶！”

原本垂头丧气的孩子们听到这句话全都恢复了精神，开始争先恐后地奋力跑向那栋房子。

“啊！”

小瑜预备要开跑的同时，珍珍大叫一声跌倒在地，她被凹凸不平的路面绊倒了。

“你有没有怎么样？”

小瑜试着把珍珍扶起来。

“啊，流血了！呜……我流血了！”

发现手掌流血的珍珍，一时之间惊慌地大哭。这时，跑在前面的孩子们停下来回头看。

“喂，发生什么事了？”

娴雅站在前面不远的地方回头问道。

“珍珍跌倒了！”

小瑜大声地回答。

“哎哟，那个小不点怎么那么会找麻烦啊！交给你处理吧！”

娴雅不悦地转过头去，芳荷的态度也好不到哪里去。硕志和俊英则已经往房子的方向跑得老远。

“没关系啦，珍珍。先用这个擦一擦，我们慢慢地走到房子那边。好吗？”

小瑜拿出自己带来的手帕帮珍珍把受伤的手包扎起来。才走了一步，珍珍立刻皱起眉头，然后豆大的眼泪一滴滴地掉在地上。

“脚踝好痛哦！学姐。我好像扭到了。”

小瑜不知所措地看着珍珍，似乎是想不到其他的办法了，只好认命地把珍珍背起来。可是，珍珍实在是太重了，小瑜根本背不动。

“珍珍，我背不动你。我扶着你，你一步一步慢慢地走，好吗？”

珍珍似乎也明白没有别的办法，只好勉为其难地点点头。小瑜陪着珍珍就这样一跛一跛的，走在好像永远都不可能到得了终点的路上。

“学姐，对不起，都是因为我，你才会……”

“别说这种话了。如果换成是我变成这样，你会自己一个人走掉吗？”

小瑜用大人的口吻轻声指责珍珍。这时，祯祥步履

蹒跚地从远远的地方走来。

“真是的！你这个小不点就只会惹麻烦！”

“哎！人家已经是痛得要死了，你是特别回来取笑我的吗？”

珍珍满腹委屈地说着，祯祥则是默默地走过来扶着珍珍的手臂。

“我是怕你耽误到我们大家的时间才回来接你的，怎么样？”

说着说着，只见祯祥的脸越来越像红萝卜一样红。

“谢谢你，祯祥。”

刹那间，小瑜的心底仿佛有一股暖意流过。

千辛万苦抵达了地图上那栋有记号的房子，里面只有一位独居的白发苍苍的老婆婆。驼背成九十度角的老婆婆，特别坐在充满阳光的木地板上等候孩子们到来。早一步到达的人正在吃老婆婆准备的烤地瓜。

“哎呀呀，辛苦你们了啊！很冷吧？”

老婆婆伸出粗糙干燥的手，热情地握住了小瑜和珍珍的手。

“婆婆，这个给您。”

小瑜把一路上背着的包包小心翼翼递给老婆婆。

“哎呀呀，真是太谢谢你了呀。多亏有你们啊，今天晚上我可有好吃的菜啰！”

背包里面装满了各式各样的小菜。

原来，这次的任务是把好吃的小菜分送给住在营区附近独居的老婆婆、老爷爷们，不仅是为了训练孩子们团结合作找出正确的路线，更是为了使孩子们获得成就感。这是研习营的老师精心策划的。

老婆婆不停地连声道谢，并且拿起大大的烤地瓜分别递给小瑜、珍珍和祯祥。

“接下来要怎么回去啊？婆婆，从这里要怎么走，我们才能很快回到营地呢？”

老婆婆摇了摇头。

“我不能说呀，你们的老师跟我交代过，千万不可以告诉你们哪！”

“婆婆，别那么小气嘛！我们已经很冷很累了耶！”

娴雅使出死缠烂打的功夫，可是老婆婆面露难色不停摇头，直说我不知道，我不知道。

“好了啦，我们不要为难老婆婆了，我们自己去找好了。再说，如果老婆婆真的告诉我们了，那这次的任务就变得没有意义了。”

听到小瑜这么说，一旁的芳荷立刻嗤之以鼻。

“受不了，又在那里自以为是了！”

“好吧！我们只好靠自己了，不过，珍珍要留在这里，不然她的脚那个样子，要走到什么时候才能回到营地啊？等我们回去之后，请老师来带她回去就好了，要不然，大家就真的别想在天黑之前回到营地了！”

娴雅不耐烦地大声说道。

“我不要，我也要一起走。我要跟大家一起走，我不会麻烦大家的，不要叫我一个人留在这里啊！”

珍珍就要哭出来似的哽咽说道。

“应该是大家一起走才对，怎么可以放她在这里？”

小瑜握住珍珍的手。

“是哦？那你就负责带珍珍跟其他人走吧！我们不可能配合你们两个人的速度，自己看着办！懂了吗？”

说完，芳荷和娴雅两人毫不犹豫地大踏步往门外走去。硕志和俊英踌躇了一下，也跟着离开了。

“对不起，学姐。”珍珍面带歉意地看着小瑜。

“没关系啦，我们也出发吧？”

小瑜面带笑容看着珍珍和祯祥。祯祥有些不好意思地搔头，然后点点头。

小瑜和珍珍还有祯祥，三个人大声地向老婆婆道别，然后加快脚步试图追上前面的同学。

不知不觉，太阳已经往山的另一头沉落，走在前面的芳荷、娴雅、硕志和俊英，好像在为了什么事情在争论。

“你们在干吗？发生什么事了？”

小瑜不解地问了一下。俊英走到小瑜身边说道：

“哦，他们说一定要照原路回营地。可是，根本不可能找到原来走的那条路嘛！”

“这是犯规的啊！老师怎么可能给我们一张没有用意的地图啊？”硕志不甘示弱地拉高了嗓门说道。

“不是啊，明明是路在这里岔开了嘛！你们自己看看啊！照地图上的提示，虽然不管是走这里还是走那里，都一样可以通到营地，可是从这条路肯定是要走很久的。我们干吗那么笨啊？再说，来的时候已经走过一遍了，当然是选择走过的路回去省时间啊！”

芳荷有些强词夺理地说道。

“到底我要讲几次你才懂啊？如果事情真的这么简单，老师没有理由给我们这张地图嘛！”

硕志气急败坏地直跳脚。

“天哪,你不知道头脑笨的人会害自己走断腿吗？”

“硕志说的话也有道理，而且，走山路对珍珍来说太辛苦了。不如选择这条路走吧,芳荷？”

不理会小瑜的建议,芳荷的态度十分强硬。

“我不管！我要走这条路，才懒得管你们往哪里走呢！我只想赶快回去,躲进温暖的被窝里睡觉。”

“喂,等等我啦！”

娴雅不得已只好紧追在芳荷后面离开。

“喂！你走那边万一迷路了,我们可不管哦！”

俊英把两手当成话筒大声地喊着。

“顾好你们自己吧,再见啦！”

芳荷头也不回地挥一挥手便走掉。

“真是的,爱现大王！祝你们找不到回去的路！”

硕志对着芳荷跟娴雅的后脑勺大声地喊着。

小瑜望着山谷之间就要沉落的夕阳叹了一口气。

（山里面天黑得这么快,就算是走过的路大概也不容易认得出来吧……）

“别管她们了,我们快走吧！把地图给我。我刚才看了一下,发现路程真的好像比较远。”

俊英伸手要拿地图。

“地图？啊！被她们两个人拿走了！”

芳荷跟娴雅早已经走过转角消失在山里面。

“啊，我发疯了，我会疯掉！我们这下子完蛋了！现在该怎么办？”

一时之间所有人都惊慌失措，根本想不出该怎么办。

“大家先不要急，先冷静下来。刚才我也看过地图，我记得方向好像是要往北边走，我有没有记错啊？”

小瑜向硕志和俊英问道。

“嗯，好像是这样。可是我记得不是往这一条路走，我们要怎么知道哪里是北边啊？”

“你不要担心。我们再等一下应该就可以知道北边是哪里了。”

“怎么可能？”

珍珍不安的表情看着小瑜。

“我们可以找北斗七星。你们知道北斗七星吧？就是很像一个大勺子的那个星座啊！”

大家跟着点点头。

“北斗七星附近最闪亮的星星就是北极星。只要跟着那颗星星走我们就能找到北边，到时候我们就比较容易找到回营地的路了。”

小瑜冷静地安抚其他的孩子。

“对哦！我好像也听说是这样耶！喂，你还记不记得？就是去年夏天我们去参加的那个小牛仔研习营啊！”

“啊，我也想起来了！”

俊英和硕志的表情立刻充满希望。

“那我们快点走吧！应该没有必要继续杵在这里吧？”

俊英和硕志边走边聊起关于星座的话题。

“可是，芳荷学姐和娴雅学姐她们真的没问题吗？”

珍珍忧心忡忡地说道。

“我也有点担心。希望她们能平安回到营地才好。”

因为扶着珍珍走路，小瑜和祯祥脚步很缓慢，但两人额头上都开始冒出豆大的汗珠。俊英和硕志则是自顾自走在前面，走走停停地等后面的人跟上。后来，硕志见小瑜跟祯祥很吃力的样子，大概是起了恻隐之心，默默地走向三人，然后默默地背起珍珍。

“哎哟，哪有小学二年级的学生像你这么重的？”

好不容易回到营地，已经是天黑之后的事。

“很冷吧？辛苦你们了！”

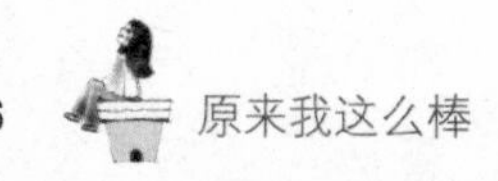

老师们全部等在大门口迎接归来的孩子们，并且轮流怜惜地轻抚了一下他们的头。

“可是，怎么只有你们这几个人呢？队员应该有八个人才对，怎么不见其他三个人呢？”

营长四下张望地问道。

“啊！我们要出发之前，东州被老师带下山去看医生了，郑芳荷跟高娴雅说要走捷径就走掉了。她们还没有回来吗？”

听到俊英这么说，老师们大惊失色。

“你说什么？”

“她们说想要走老师带我们上山时走的那条路，然后就出发了。她们自以为是地说宁可走捷径，快点回到营地休息，迷路了算她们活该！”

一旁的硕志忍不住也补上一句。

老师们的脸上出现困惑的表情。

“你们先回房间去休息吧！明白了吗？张老师！我们出发吧！”

营长领着礼仪课老师一起往大门走去。

“什么啊，她们该不会是真的迷路了吧？”

“该不会是我们诅咒她们迷路的那句话成真了吧？”

硕志和俊英表情讶异地面面相觑。

“我看不行。我也要跟着老师一起去找她们。”

“我们也去！”

硕志和俊英跟着小瑜，一起尾随老师们出发去找人。

“芳荷！”

“娴雅！”

跟着老师们一同上山的硕志和俊英还有小瑜，大家都竭尽所能地高声呼喊芳荷跟娴雅的名字。然而早已经被黑暗笼罩的山林里只有凄凉的回音，更加深了众人心里的不安。

“刚才，我说什么都应该要阻止她们的。”小瑜因为自己没有这么做而自责不已。

“万一，万一找不到她们要怎么办？”硕志一脸忧虑的表情说道。

“先不要想那么多了。你们这么努力地想找到她们，我想一定很快能找到人的。”

老师试着安抚孩子们的焦虑。

“你们不要跑远，最好都先待在这里，知道吗？老师们去这附近绕一下，看能不能找到她们，你们千万不要走开。知道吗？”

大家顺从地点点头。

“啊，好冷哦。”

俊英冷得直打哆嗦。

“总之，女生实在太会找麻烦了啦！要是她们肯跟我们一起按照地图上的路线走，也不会发生这种事情。”

“芳荷！娴雅！”

小瑜高声叫喊着芳荷的名字，小心翼翼地向前走。

“喂！老师刚才交代我们要待在这里的耶！”

“你们用照明灯帮我照一下前面的路，我想到再前面一点的地方找一找。”

小瑜忘了害怕，一步步地走上漆黑的山路。

（万一，芳荷的妈妈知道这件事情，不晓得会有多担心呢？）

小瑜带着悔不当初的心情，继续呼喊芳荷的名字。

说时迟那时快，就在前面离几步路的距离，传来有东西在移动的声音，小瑜赶紧停下脚步。心里一阵恐惧的同时，脑海里闪过听老师说这座山里偶尔有山猪出没的事情。小瑜的心脏扑通扑通地越跳越快。

“是谁在那里啊？”

就在小瑜开始往后倒退的时候，有个人也在小心翼翼地朝小瑜的方向走过来。

“是芳荷吗？”

小瑜鼓起勇气询问对方，没想到对方正在啜泣的声音越来越近。

“是芳荷吗？还是娴雅？”

“呜！”

终于,眼前出现狼狈不堪的芳荷跟娴雅。

“你们还好吗？老师！我找到芳荷和娴雅了,她们在这里！”

小瑜大声地叫喊试着通知老师，然后急忙走近芳荷的身边。

“高小瑜……”

芳荷一看见对方是小瑜,便急切地抱住了她,然后号啕大哭起来。一旁的娴雅也跟着放声大哭。

“你怎么现在才来……我们真的好害怕……”

小瑜的自信心训练术

大声地笑出来!

如果现在的你自信心正在消失,不妨试着放声大笑。

你可以在脸上堆满笑容,也可以用最大的声音笑出来。

当你在笑的时候心底就会出现正面的想法,心底有了正面的想法之后你就能感受到希望,然后一切变得很顺利。

当你发觉自己的内心开始畏缩的时候,记住!一定要大声地笑出来。

如此,你就能恢复百分之二百的自信心哦!

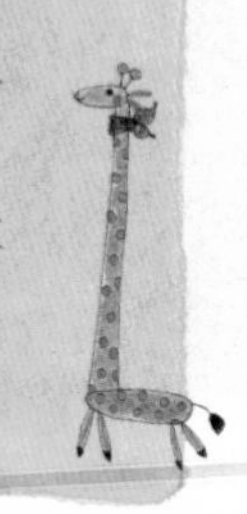

给缺乏自信的你：

哇，今天从别人那儿听到你表现杰出的事，老师真是高兴极了。不但和队员们同心协力平安地回到营地，甚至还主动帮忙找到迷路的同学，这让老师觉得你跟以前比较起来，简直是判若两人了呢！

现在的小瑜，你真的看起来比任何人都要闪闪发光哦！

自信心就是这么有魔力。自信心让小瑜在别人眼中看起来与众不同，那是专属于你自己的一股力量！

每个人的心底藏着一份自信心，唯一不同的是，端看自己能发掘几分，并且适当地活用。

既然如此，老师又为什么不干脆把小瑜的自信心，一次补充到百分之一百呢？

因为老师认为那不足的百分之二，是你自己要努力的部分，所以可别怪老师对你不够好哦！

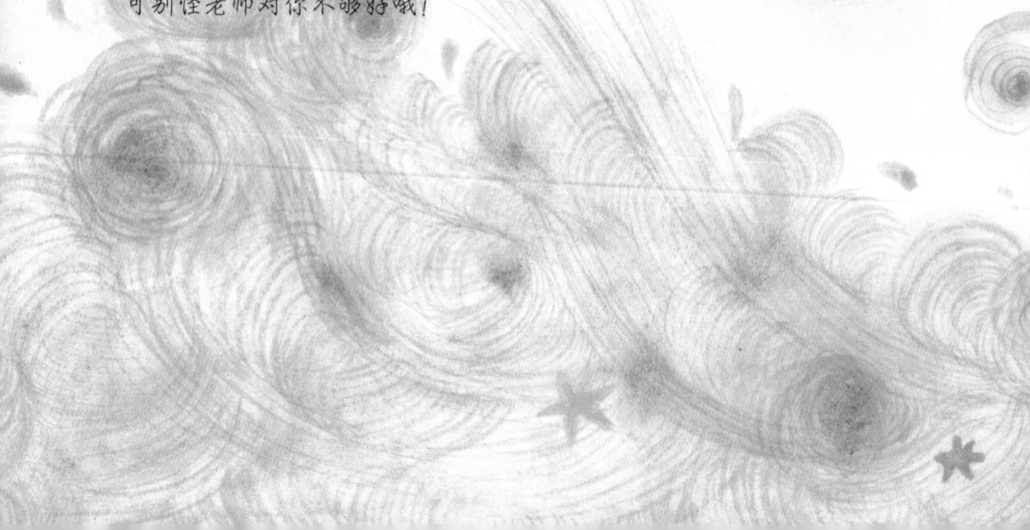

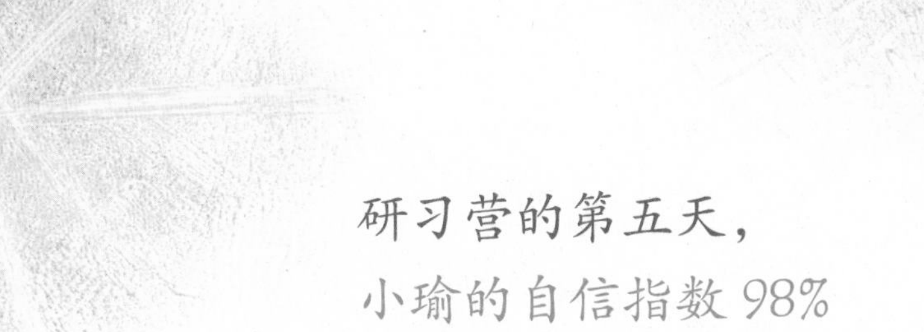

研习营的第五天，
小瑜的自信指数98%

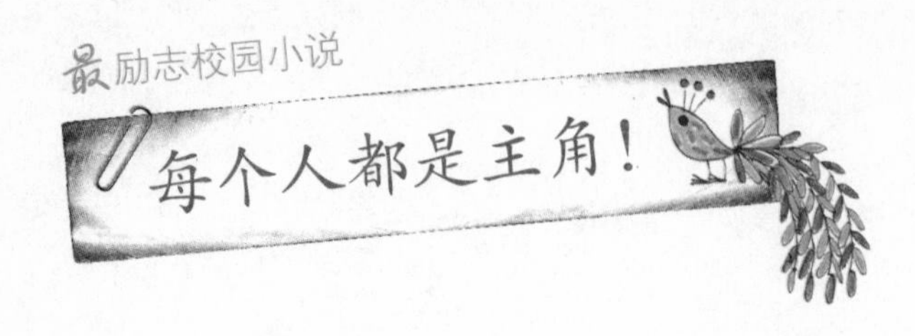

我做得到！这是我爸爸常常鼓励我的一句话，现在我终于明白这句话的重要性了。

珍珍啜泣着回到自己的座位，不时地用手臂擦去脸上滑下来的眼泪，肩膀还是止不住地抖动。轻轻地拍拍珍珍的肩膀安抚她的小瑜，忍不住也跟着鼻酸，眼眶里蓄满泪水。

"我……"

小瑜抬头看着用微弱且颤抖的声音开口说话的芳荷。从天花板洒下来的灯光，清楚地照亮讲台上坐在大家中间泣不成声的芳荷。

"来参加这个研习营……"

芳荷抽咽着再也说不出话来。

营长走到芳荷身边，在她耳边小声地说了一些话。虽然营长轻拍芳荷的背安抚她，但是芳荷仍然因为啜泣而全身颤动不已。

“我一直以为只有自己是最棒的，我觉得整个世界都应该要以我为中心而转动。可是来参加这个研习营之后发现,以前的那些想法都是因为我自己太贪心了。原来我自己就是一个做什么事情都是我行我素的人,呜……对不起,我不知道该说什么。”

芳荷忽然站起来跑下讲台去。

“小瑜,轮到你了。”

老师走到小瑜的身边提醒她,那一刹那,小瑜的心脏又不由自主扑通扑通剧烈地跳动。不过，这一次小瑜学会先做深呼吸让心情镇定下来，然后走向刚刚芳荷坐过的椅子。

从头顶洒下来的灯光出乎意料的温暖。也许是这个缘故,小瑜情绪似乎比刚才更冷静了一些。

“说真的,我能够这样站在大家的面前说话，已经是很大的进步了。”

虽然手上拿着麦克风,小瑜的声音还是小得听不见。

“你试着让说话的声音再大一些好吗？研习营的第一天,你还记得吗？你就把现在当做是那天做练习。抬头挺胸！”营长微笑着说道。

小瑜挺起了胸膛。

“其实，对我自己来说，像这样站在很多人的面前发表意见，是非常困难的事情。而且，现在的我也很惊讶，自己居然可以一个人站在这么大的讲台上说话。一直到昨天，我还在为了来参加研习营的事情而烦恼。我讨厌叫我来这里的妈妈……也讨厌那些没有陪我来的好朋友……”

忍不住的眼泪让小瑜也跟芳荷一样，停顿了好一会儿，说不出任何的话来。

“待在这里几天下来，虽然又累又辛苦，但是我在礼仪课上得到了老师的称赞，跟我的室友也慢慢地变成了好朋友，我开始觉得这一切其实并没有我自己想象中的可怕。我很希望可以做得更好，很希望可以跟伙伴相处得更好。原来和大家在一起是这么快乐的事情，为什么一开始我要讨厌这些事？又为什么老是觉得自己什么都不会？现在想一想，我觉得自己真的很傻。

“我真的……像个傻瓜一样。现在，我真的觉得能来参加这个研习营是件很棒的事情。虽然以后我可能还是一个经常让爸爸妈妈操心、又不够勇敢的女儿，但是现在

的我，了解到应该要让自己有一点改变了，算是为了自己而努力。我做得到！这是我爸爸常常鼓励我的一句话，现在我终于明白这句话的重要性了。各位同学们，真的很感谢大家。”

小瑜笑着结束了自己的感言。

“高小瑜！又哭又笑，会精神分裂哦！”

刚才上台来发表感人的演说，最后还一把鼻涕一把眼泪才下台去的俊英，转眼间又恢复本性开始调皮捣蛋。

回到台下自己的座位，小瑜立刻给了珍珍一个灿烂的笑容。

“学姐，赞哦！”

说着，珍珍竖起了大拇指。小瑜有些羞涩地笑了一下，然后转头看了一眼芳荷。芳荷还在伤心地哭。老师不断地为她递上纸巾，并且温柔地鼓励芳荷。

“大家是不是都哭够了呢？”

当孩子们依序发表完自己的感言，礼堂里大灯被点亮了，这次换营长坐到发表感言的椅子上。

明亮的灯光下，孩子们哭红眼睛的模样无所遁形。

“哈哈哈，看你们的眼睛，根本就是一群金鱼啦！”

大家互相看着对方的眼睛，然后忍不住地破涕为笑。

“相信各位同学上台发表感言的同时，心里会有所反省，或是领悟到一些道理，或是可能每个人也都暗自下定某种决心。营长在台下看着各位同学的表现，感到非常欣慰，看得出这次的研习营，肯定可以让大家获得不一样的心灵成长。包括我在内在座所有的老师们，我们都希望各位同学能够实践刚才发表的感言中对自己的期许，日后如愿地成为自己心目中想要成为的那个人。一定要记住一件事情，那就是——我们每一个人都可以是主角！”

营长感性的致辞一结束，礼堂里响起了孩子们如雷的掌声。

“三！二！一！”

配合大家一致的呼号，第一队的老师以敏捷的动作推倒队员们用心完成的骨牌。随即，嚓啦啦啦所有的骨牌整齐划一地应声倒下。与之同时出现的是“做得到！第一队”等几个字样，它们鲜明地呈现在大家眼前。

第一队的全体队员，一致发出兴奋的欢呼声。

当第一队的最后一个骨牌倒下去的同时，紧接着第二队的骨牌也跟着发出清脆的响声倒下去。这一次出现的是“I CAN DO IT”的英文字样。

“下一个就是我们了！”兴奋不已的珍珍高声大喊。

就在此时，老师轻轻地推倒第三队排列的骨牌。首先出现的是小瑜千辛万苦排出来的“加油”两个字，然后是“自信一百分”等几个字依序完整地呈现。当最后一片骨牌倒下去那一刻，小瑜甚至感动得想哭。

“不要哭嘛，学姐！”

珍珍说完，竟然忍不住跟着哽咽落泪。不一会儿，一旁的娴雅、芳荷、祯祥、俊英，还有硕志，全都喜极而泣了。

“非常好！老师以你们为荣，第三队太棒了！”

老师走过来给孩子们一个温馨的拥抱，并且爱怜地摸了一下每个人的头。

“要是东州学长现在也在这里该有多好……要是他在这里，一定会比那个大学长更受欢迎的，对不对，学姐？”

看着在舞台上献唱的男孩子，珍珍表情颇不以为然地碎碎念。那个男孩子的歌声确实很动听，不过，小瑜还是认为他比不上东州。

（以后表现好一点就可以了啊！加油，加油！）

小瑜忽然回想起东州那天鼓励自己的话语，脸上悄悄地浮现一抹微笑。

（东州，这一切幸亏有你。谢谢你，如果可以亲口对你说出这句话该有多好……）

小瑜惋惜地想着和东州相处的情形。

“高小瑜！回家以后我们几个打算去探病，看看东州，你要不要也一起去？”

俊英伸长了脖子问小瑜。

“喂！割盲肠又不是什么不得了的大病，你要探什么病啊？去找他玩还差不多！”

娴雅没好气地说完，随即好像察觉到自己似乎有一点反应过度，嘿嘿地笑着，一副不大好意思的样子。

“研习营上来不及办的庆功宴，不如去东州家补办，怎么样？”

硕志逐一地望向每位队员的脸，似乎是在征求大家的同意。

小瑜和珍珍，娴雅和俊英，还有在一旁仍然无精打采的芳荷，也都点头附议。

“OK！那我们就这么说定啰！”

时间静悄悄地流过，过了一会儿，礼堂里开始飘扬起悦耳的音乐。终于卸下紧绷情绪的孩子们，大家都兴奋得从座位上站起来，摇摆肢体展现舞技。

“哇，硕志和俊英原来这么会跳啊，厉害！”

小瑜转头看着珍珍。珍珍已经从椅子上站起来随着音乐摆动肩膀，蠢蠢欲动地想要跳舞。

“别发呆啊，学姐！你也起来跳一跳嘛，很好玩耶！”

珍珍作势要拉小瑜起来。

“啊，我不行！不行啦！”

“哎哟，你又来了！你说过不再讲这种话的嘛！”

小瑜不好意思地搔头，试着随音乐摆动自己的肩膀。在家里自己就经常一个人躲在房间里，偷偷地放音乐跟着跳舞，所以小瑜的舞技可以说一点也不含糊。

“哇！学姐！你一定常常跳舞，对不对？”

珍珍发现小瑜在意料之外的舞技，惊讶得双手捂住嘴巴，兴奋得直跺脚。

研习营的最后一个晚上。

虽然早已经熄灯就寝，但是大家却都迟迟无法入眠，不但保持清醒，更不时发出无奈的叹息声。

“好不容易才觉得适应了这里，明天却已经要结训回

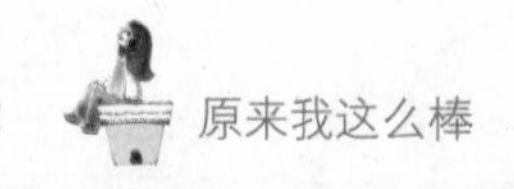

家了。啊，好舍不得哦！”

“要是可以让我们再多待一天该有多好啊？咯咯咯。”

听见珍珍这么一说，每个人全都咯咯咯地笑了起来。

“刚才那个很会唱歌的男生，他蛮帅的耶？名字叫周成伦是不是，真的是名副其实的美少男耶！”

允婷兴奋不已地说道。

“他是我们学校的哦！他早就被我订了，你放弃吧！”

“哎哟，我怎么看他都比不上东州学长耶？”

珍珍一提起，大家才又忽然想到这个人。

“啊，对哦！徐东州的女朋友到底是谁啊？该不会，不会真的是高小瑜吧？快点招认，高小瑜！”

“不是我啦……”

黑暗之中小瑜红着脸暗暗傻笑。

其实，这是送东州去医院的老师回来之后告诉她的。

“小瑜，原来你是东州的女朋友啊？”

“啊？”

“是东州自己说的哟！他说他相信你一定能做得很好，他说他相信自己的女朋友哦！”

小瑜听了不禁羞红了脸。

“哈哈，你的脸红了耶！原来是真的啊！小瑜好幸福哦！有个东州这么帅的男朋友！”

小瑜用棉被盖住头，好不容易忍住不笑出声音来。

“喂，高小瑜她怎么了？”

允婷不解地问道。

过了一会儿，黑暗里窃笑嬉戏的孩子们都睡着了，四周一切归于平静。

“大家都睡着了吗？”

芳荷小声地问，没有任何的响应。

“高小瑜，你也睡了吗？”

芳荷又小声地问了一次。

“还没。”

躺在另一边的小瑜静静地回答。

“睡不着吗？”

这次换小瑜开口问道。刚才她便发现芳荷一直在翻来翻去，好像睡不着的样子。

“不是……”

静默了好一会儿，芳荷静静地说道。

“那个……”

“什么事……”

“对不起……”

“……”

“对不起。你妈妈拜托过我要好好地照顾你，我却这样对待你……对不起。”

“没有关系啦！”

“还有……”

“嗯？”

“谢谢你。”

“谢什么？”

“在山上……幸亏你找到了我。”

“没什么啦！”

小瑜感觉到前所未有的轻松畅快。结束研习营的最后一个夜晚，应该会有一个甜美的好梦吧！

小瑜的自信心训练术

自我鼓励是很重要的

如果付出努力之后还是失败了，难免会产生挫折感。

这个时候，是振作起来再挑战一次，还是干脆放弃，两者之间有很大差异。

再试一次！为自己大声加油并且拿出勇气。

同时，记得要自我鼓励，告诉自己“我做得到”。

换句话说，这是在自我催眠，让自己产生自信心。

对所做的事情全力以赴，然后争取获得更好的成果。

即便失败第二次也不要气馁，一定要不断地自我鼓励。

不要轻易地放弃，要坚持到底，相信自我是一个非常重要的观念。

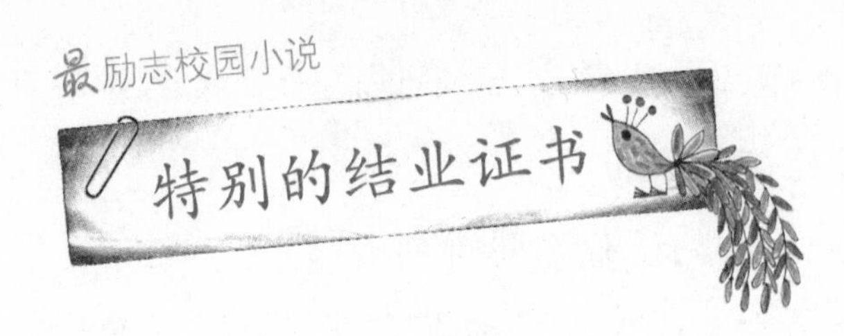

特别的结业证书

“哇，我的女儿，了不起耶！太棒了，你真棒！”
妈妈对小瑜竖起大拇指。

看着手上的结业证书，小瑜因为激昂的情绪而脸红。

“高小瑜！”

脑海里浮现被老师点到自己的名字上台去，从营长手中接过结业证书的那一刻。虽然只是短短几分钟的仪式，从研习营的第一天到中间所有发生过的事情快速地闪过小瑜的脑海。小瑜将结业证书紧紧地抱在怀里，仿佛手上是一件极其贵重的物品，忍不住感到一阵鼻酸。

“你该不会是第一次领奖吧？”

在行进中的巴士里，硕志摇摇晃晃地走过来问道。

“不是。”

“那你干吗一直盯着它看？”

“对啊！不用那么宝贝啦,反正不过是一张纪念你参加过七天研习营的证明书而已。”

俊英摇一摇头,一副没什么稀奇的表情。

然而对小瑜而言，这张结业证书有着与众不同的意义。这是让小瑜了解到自己原来并不是无能的人，进而让她获得自信心的保证书;虽然又累又辛苦,却还是很勇敢撑过一个礼拜的认证书；更是奖励自己认真度过一个礼拜,带着崭新的改变回家的奖赏。

“你们一定想象不到这张结业证书对我有什么样的意义吧？回家以后我还打算把这个证书裱起来呢！”小瑜很开心地笑着说道。

“啊！那是我妈妈耶！”

巴士刚转进操场，每个人便像口香糖似的紧紧黏在车窗上,从窗外一群等候的妈妈当中,迫不及待地搜寻自己妈妈的身影。小瑜同样也坐立难安地寻找，很快就看见了妈妈熟悉的身影。

不知道为什么,妈妈的脸看起来有些憔悴。

“妈咪！”

巴士的车门终于开启，孩子们急忙走下车子迫不及

待地投入妈妈的怀抱。小瑜也不例外。妈妈一见到小瑜，便激动地紧紧把她拥在怀里。妈妈什么话也没说，只是轻轻地拍一拍小瑜的背。

“妈咪,我不在家的时候,你生病了吗？”

“没有啊！”

“可是你为什么看起来不太一样？好像生病的人哦！”

小瑜用可爱且细致的小手,轻轻地捧着妈妈的脸。

“妈咪大概是因为太想念我们家小瑜了。啊,小瑜！你一定吃了不少苦,对不对？”

妈妈像个孩子似的,用快要哭出来的表情望着小瑜。

“才没有呢！我在那里过得很快乐！幸亏我听了妈咪的话去参加了！谢谢,妈咪！”

小瑜灿烂地笑着说道。这时,妈妈好像相当感动,再一次紧紧地拥抱小瑜,然后又看了一下小瑜的脸,再紧紧地抱住小瑜娇小的身体。

“怎么哭了！为什么哭啊？是不是发生什么事了？”

芳荷的妈妈看见一语不发默默掉泪的芳荷，焦急得不知所措。

“那个……小瑜啊！你们在研习营是不是发生了什么事情,我们家芳荷怎么会这样子呢？”

芳荷的妈妈心急如焚地问小瑜。

“我想她一定是因为太想念阿姨您了吧！”

小瑜微笑着说道。

“这样啊，又不是小宝宝，我们家芳荷是怎么啦？”

芳荷的妈妈这才放心地笑着安抚芳荷。

“拱手！”

小瑜突如其来地大喊，让爸爸妈妈吃惊地睁大了眼睛，一旁的 Cookie 也吓得汪汪叫。

“呵呵，小小失误！在研习营上礼仪课的时候，每次都是要先喊完这句话才开始的。”

小瑜不好意思地搔头，爸爸妈妈这才恍然大悟地会心一笑。

“爸爸，妈妈！你们最疼爱的女儿，平安地结束研习营回来了。”

小瑜按照礼仪课的时候老师教过的方式，恭敬地双手合在一起，然后对爸妈行大礼。

“乖！”爸爸很高兴地回应。

“老公！行大礼的时候，不是应该是左手放上面吗？”妈妈凑到爸爸的耳边小声地说。

“是吗？我不是很清楚耶？”

“爸爸，妈妈！女生在行大礼的时候，右手放在上面才是对的！”小瑜非常有自信地说道。

“哇，你真的是我们家小瑜吗？真的完全不一样了耶？”爸爸露出不可思议的表情看着小瑜。

“看吧，我早说过了嘛！我说过这次的研习营对我们家小瑜来说会是一个难得的机会，不是吗？”

妈妈掩不住兴奋的心情，频频看着爸爸和小瑜。

“爸爸，妈妈。以前你们一定因为我伤透脑筋，对不对？对不起。以后我不会再让爸爸妈妈为我操心的。不对，应该是说我会好好努力的。”

“哎哟，高小瑜！怎么突然这么客气起来啦？”

对于小瑜的彬彬有礼，妈妈好像很不自在的样子。

“我本来就应该要对你们有礼貌的啊！你们那么辛苦地养育我长大耶！啊，对了！爸爸，妈妈。真的很感谢你们把我生下来并且用心养育我。”

小瑜再一次恭敬地向爸爸妈妈行大礼。

“还有就是,希望你们以后也能够继续地爱护我!”

行礼完毕，小瑜撒娇地投入仍然不敢相信这一切的爸爸妈妈怀里。

“小瑜！你的电话！”

刚用过早餐没多久，妈妈从房门外叫唤在房间里上网的小瑜。

“喂？”

小瑜拿起话筒。

“副队长！没有我在,研习营的活动都还好吧？”

是东州。小瑜一听是东州的声音，不由得脸马上就发烫起来。

“喂？小瑜！高小瑜！”

“你在哪里啊？你怎么会知道我们家电话号码的？你回家了吗？听说你动了手术,还痛不痛啊？”

小瑜像连珠炮似的一口气问完。

“哈,你一定很担心我对不对？”

“你还笑得出来！你不在的时候,我们这一队可是吃尽了苦头耶！”

“也没办法，我到哪里都是重要人物，呵呵呵。话又说回来，我还蛮开心的耶！没想到你这么关心我。”

“我哪有啊。”小瑜羞涩地笑着。

“我现在要出院回家了。医生说我一定要等到放屁了才能回家，害我不知道费了多大的力气呢，受不了。”

“啊？”

小瑜和东州同时呵呵呵地笑个不停。

“刚刚我打电话跟研习营的老师联络过，然后现在要出发回家了。你家里的电话号码就是老师跟我说的。听说你是一个非常尽责的副队长哦？”

“嘿嘿，我哪有。”

小瑜又露出难为情的笑容。

“我早就知道你可以的！研习营很棒对吧？除了有趣的活动，也让自己变得这么有自信，况且还得到一个男朋友，划得来！”

小瑜不知道该说什么，只能词穷得咬住嘴唇，在一旁听两人对话的妈妈推了一下小瑜。

“啊？哦。”

“大概再过两个小时我就回到我家了。今天我需要再休息一下，明天我们这一队进行次聚会，来办个只有我们这一队的小型结业式怎么样？我没有参加研习营的结业式觉得好可惜哦，害我没有机会展现我的才艺。本来我还打算在最后结束之前献唱一曲，让所有的女生都为我如痴如醉。唉，真是可惜！”

“说什么大话啊你！”

“开个玩笑，别当真！”

小瑜跟东州相约明天要见面，然后便挂上电话。

“不错哦？从研习营回来就有了男朋友啊？”

妈妈兴高采烈地笑着看小瑜。

小瑜随即又打电话联络硕志和俊英，三人确定了明天见面的时间。

“OK！我负责打电话给娴雅跟允婷。”

“那我等一下打电话给祯祥跟珍珍。郑芳荷那里就交给你去打电话啰！”

“哦。”

挂了电话之后小瑜短暂地犹豫了一下，最后还是再度拿起话筒拨电话给芳荷。没想到芳荷的声音听起来还是很沮丧。

“芳荷，明天我们一起去东州家好不好？我们这一队，有人提议办聚餐大家聚会一下。”

“呼。”

“一起去吧，嗯？”

“好吧。”

犹豫了一会儿，芳荷终于答应一起去。

“芳荷，我猜你应该不知道吧？”

“什么事？”

“其实我一直都很羡慕你。”

“怎么可能！”

“我是说真的。有一天我在一本书上看过，书上说懂得回想自己的作为，并且自我反省的人很少。换作是我的话，我一定不可能像你这样。可能也不会像你这样因为发现自己的缺点而难过。说不定，我会想尽办法不去想自己的缺点呢！所以，我觉得这样的你很令人敬佩。无论什么事情总是勇敢去面对的郑芳荷，是比任何人都要自信满满的郑芳荷。可是，这么有自信的你，还是免不了遇到挫折。这样的你，如果勇敢熬过重新认识自己的过渡期，我相信你一定会比现在更了不起。光是这样想，我就已经很羡慕你了。

“攀岩训练那一次你从上面下来的时候，我记得你差一点点就掉下来了。在那么危险的情况下，你还是很镇定没有手忙脚乱，最后还是安全着地了。我觉得你现在的情况就跟那一次是一样的。我相信，你一定可以像上次那样克服困难安全着地。为什么呢，因为你是神力女超人郑芳荷啊！是我一直都很羡慕、很想学习的人郑芳荷！老实讲，你现在心里面一定是在想‘我做得到’，我没说错吧？”

电话那一头的芳荷没有说话。可是，隐约可以听见微弱的啜泣声。

挂了电话，小瑜的心情没来由地感到无比踏实。

“哇，我的女儿，了不起耶！太棒了，你真棒！”

妈妈对小瑜竖起大拇指。小瑜觉得好像要飞上天似的，身体和心情都飘飘然地无比轻快。

妈妈的爱心鼓励

谢谢你的帮忙

让孩子帮忙做事情或是一同完成某件事情而有所获得时，请大方对孩子说出这句话：“谢谢你的帮忙。”

事实上，我们很清楚自己的能力帮不上大人们多大的忙。

不过，身为小孩子的我们至少帮得上大人们小小的忙，这件事其实会带给我们无比的踏实感。

能够为身边的人贡献一己之力的自信感，能够使我们的想法比实际的年龄更成熟呢！

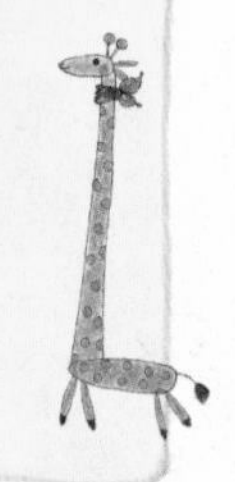

作者序

任何事情都难不倒的超强信念

念书时代我是一个很不会吊单杠的学生。准备，开始！每次老师才刚喊口令我就撑不到几秒马上就掉下来，所以有个绰号叫做“一秒大王”。我一直都觉得自己很丢脸。每当体育课有吊单杠的课，我就真的很希望能有个洞让我躲起来。唉，为什么这世界上要有吊单杠这种体育项目啊？单杠又是哪一个无聊的人发明出来的？一定是因为我平时在练钢琴手臂才会不够力气，我总是这样找借口故意不理会自己的不足。

然而有一天，体育老师单独把我叫去说了一些话：“吊单杠是有诀窍的，你想不想知道？我特别只告诉你一个人哦！首先你要抛开我不会吊单杠这种负面的想法，然后相信自己也能吊单杠吊很久。”

我还以为是什么了不起的秘诀呢！当时我认为老师所说的，根本不算是秘诀而嗤之以鼻。结果，我依然没有摆脱一秒大王的绰号，直到发生一件事。

有一个学期，我的体育分数竟然变成学期总成绩的关键。从那时候起，不论是午休时间还是短暂的几分钟下课时间，我都到操场练习吊单杠，但是才抓住单杠就撑不住马上掉下来的情形毫无改善。于是，我决定照老师告诉我的秘诀去试一试！吊单杠之前我在心底默念，我可以吊很久的单杠，我绝对可以吊单杠超过一秒钟。

当然，并不是一开始这个秘诀就有所效果。然后神奇的是，经过反复的练习，我吊单杠的时间成功地增加了！当我吊单杠的时间慢慢地变长，围观的老师和班上同学的欢呼声，让我非常地感动。原来我也可以啊！一阵子之后，我的体育课吊单杠的项目，终于也有了三十二秒的纪录。原来我也办得到！哈，我该怎么形容当我听见别人称赞时的心情呢？当时我中学二年级，算是才开始了解到“自信”是怎么一回事。

我非常希望各位小朋友们，都能够趁早发掘自己内在的自信，并且日后成为发光发热的人物，我就是以这样的心情写下这本书。尚待补足的那2%的自信感，就看各位小朋友的努力了！

让我们为自己用力地加油吧！

鄂新登字 04 号

图书在版编目(CIP)数据

原来我这么棒 / (韩)李惠镇著;(韩)明水晶绘;徐若英译. —武汉:湖北少年儿童出版社,2010.8

(最励志校园小说)

ISBN 978-7-5353-5332-0

Ⅰ.①原… Ⅱ.①李… ②明… ③徐… Ⅲ.①儿童文学—中篇小说—韩国—当代 Ⅳ.①I312.684

中国版本图书馆 CIP 数据核字(2010)第 168756 号

书名	原来我这么棒		
©	李惠镇 著 明水晶 绘 徐若英 译		
出版发行	湖北少年儿童出版社	业务电话	(027)87679199 (027)87679179
网址	http://www.hbcp.com.cn	电子邮件	hbcp@vip.sina.com
承印厂	湖北恒泰印务有限公司		
经销	新华书店湖北发行所		
印次	2010年8月第1版, 2013年7月第23次印刷	印张	12
规格	680毫米×980毫米	开本	16开
书号	ISBN 978-7-5353-5332-0	定价	22.80元

本书如有印装质量问题 可向承印厂调换